『情況』解説・回想・総目次・索引

不二出版

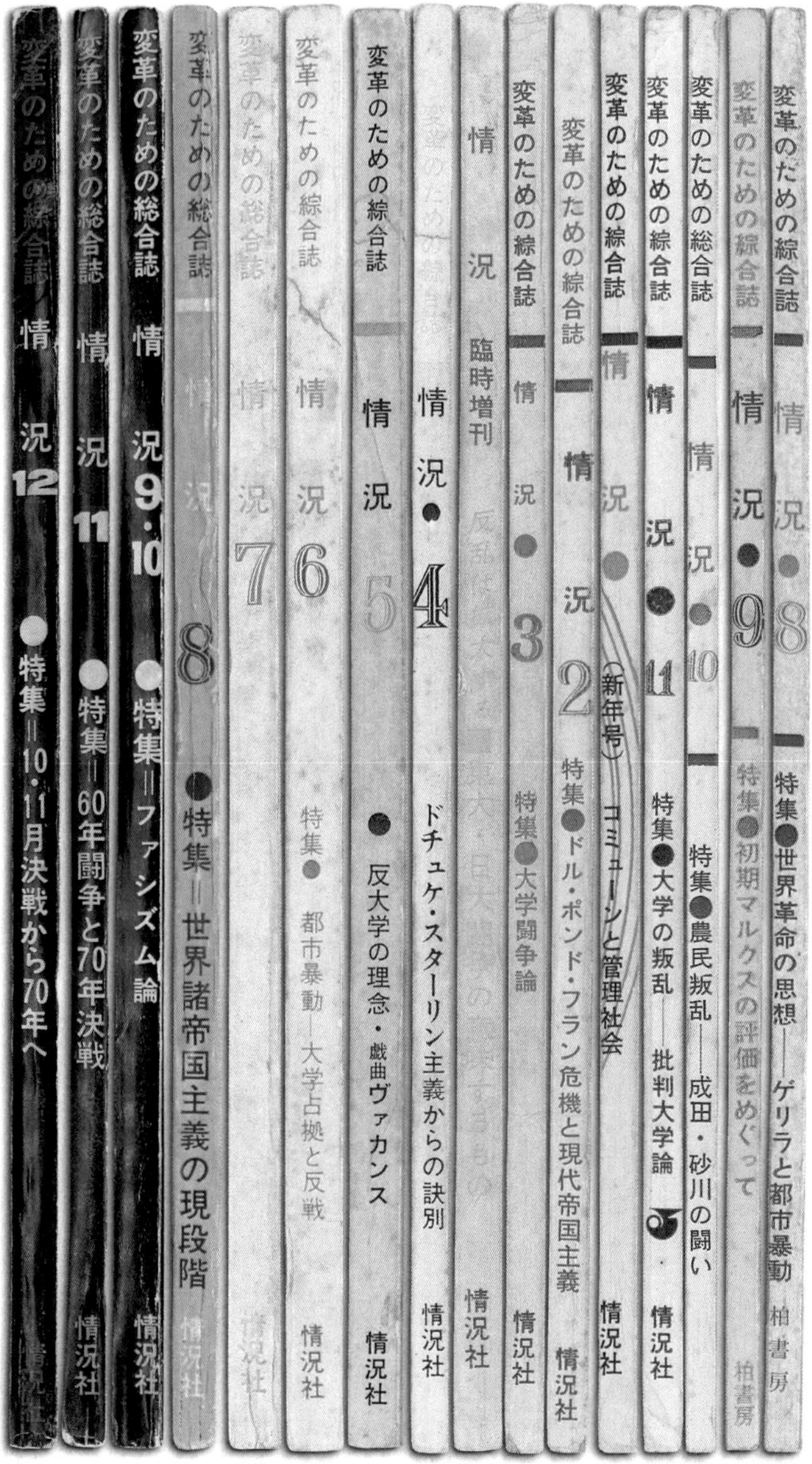

『情況』各号背表紙

1968・69年。創刊号（右端）から16号（左端）

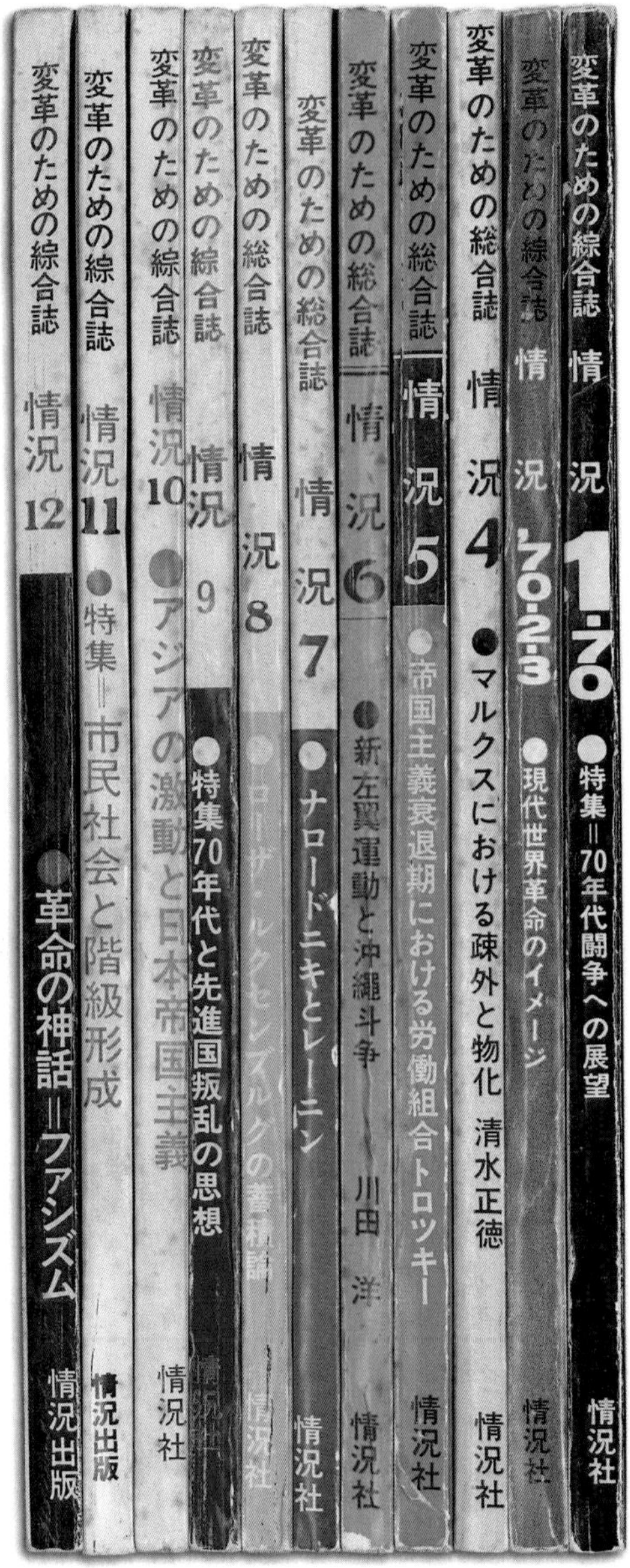

『情況』各号背表紙
1970年。17号（右端）から27号（左端）

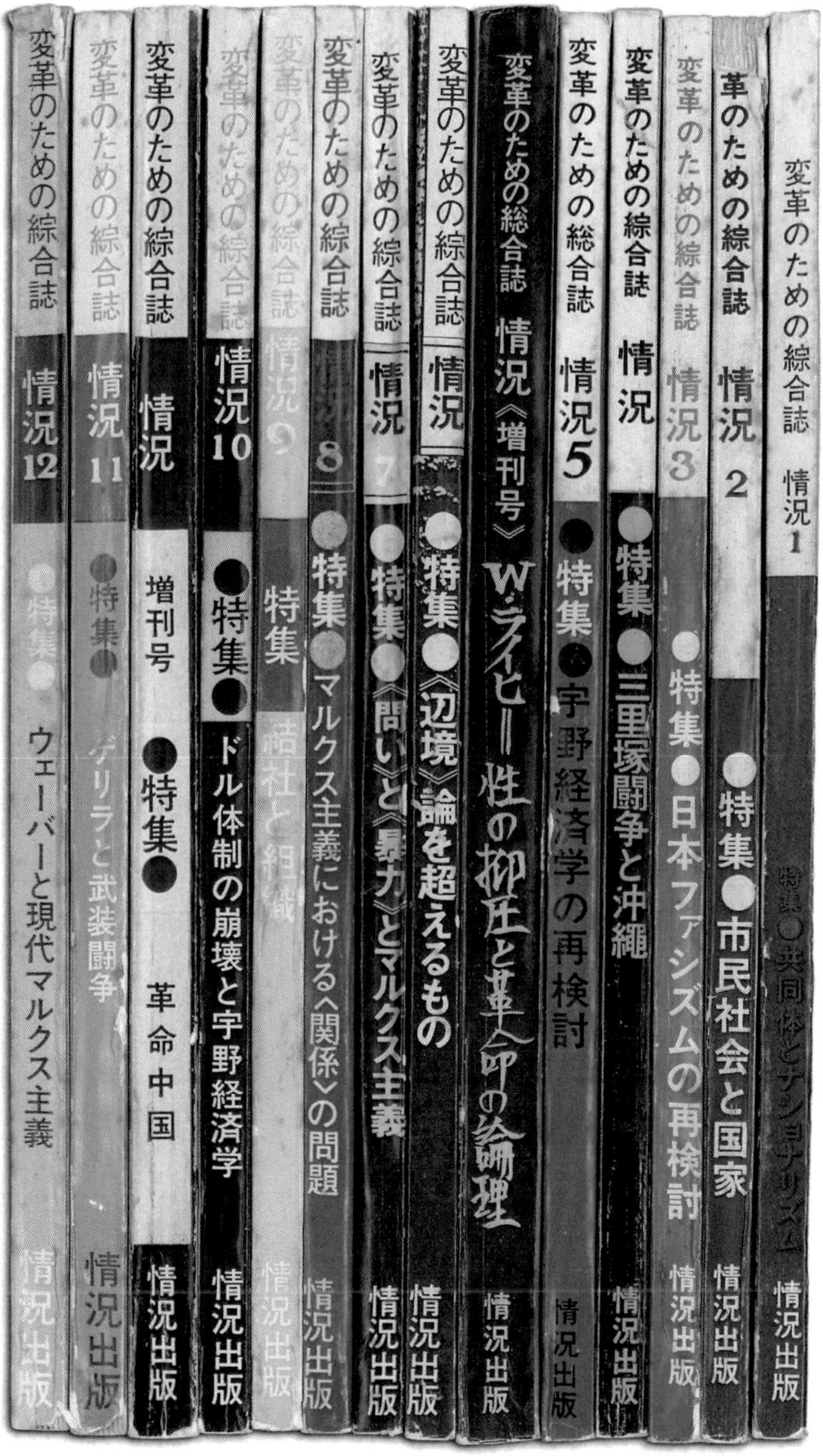

『情況』各号背表紙
1971年。28号（右端）から41号（左端）

『情況』各号背表紙
1972年。42号（右端）から53号（左端）

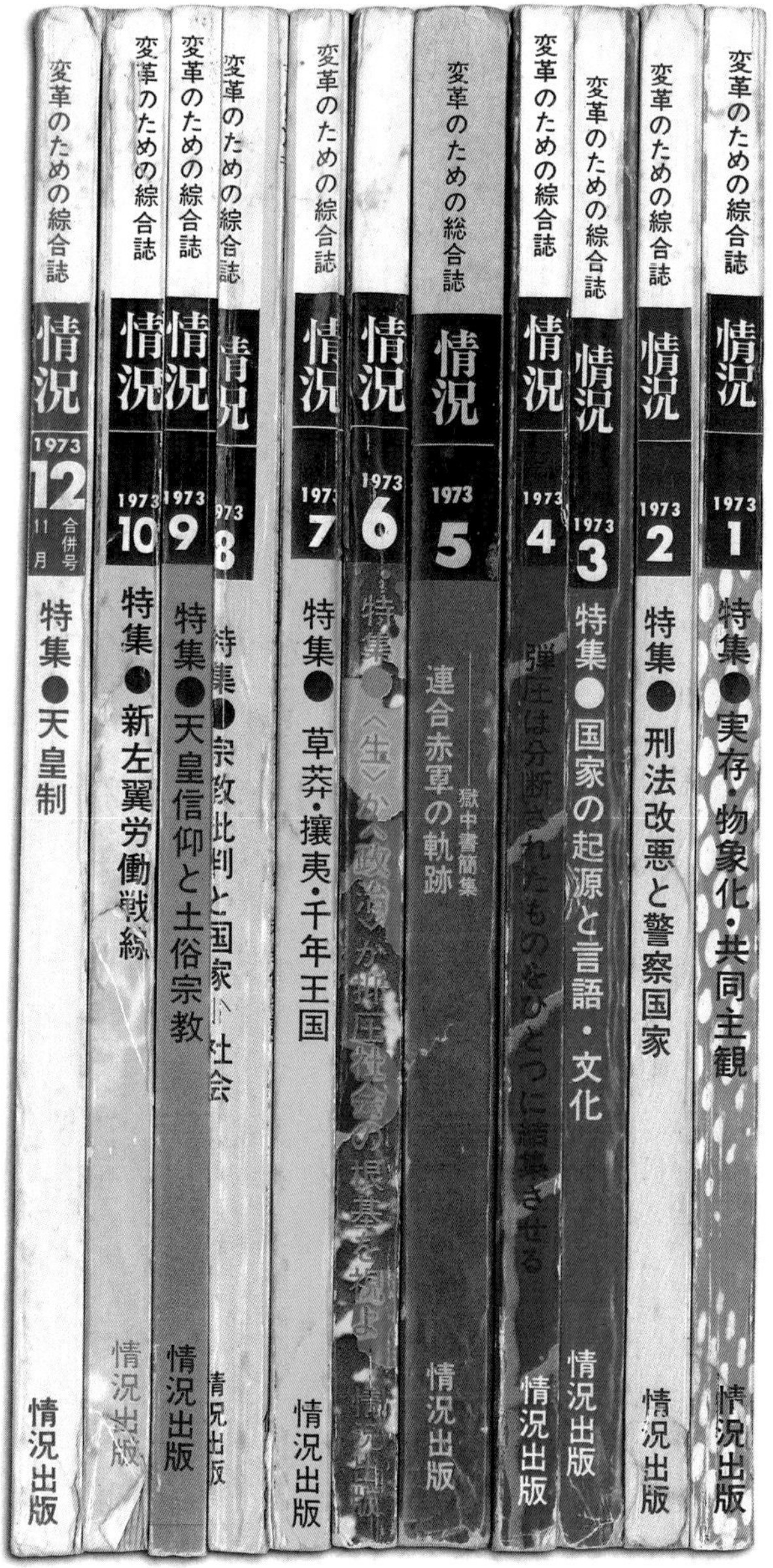

『情況』各号背表紙

1973年。54号（右端）から64号（左端）

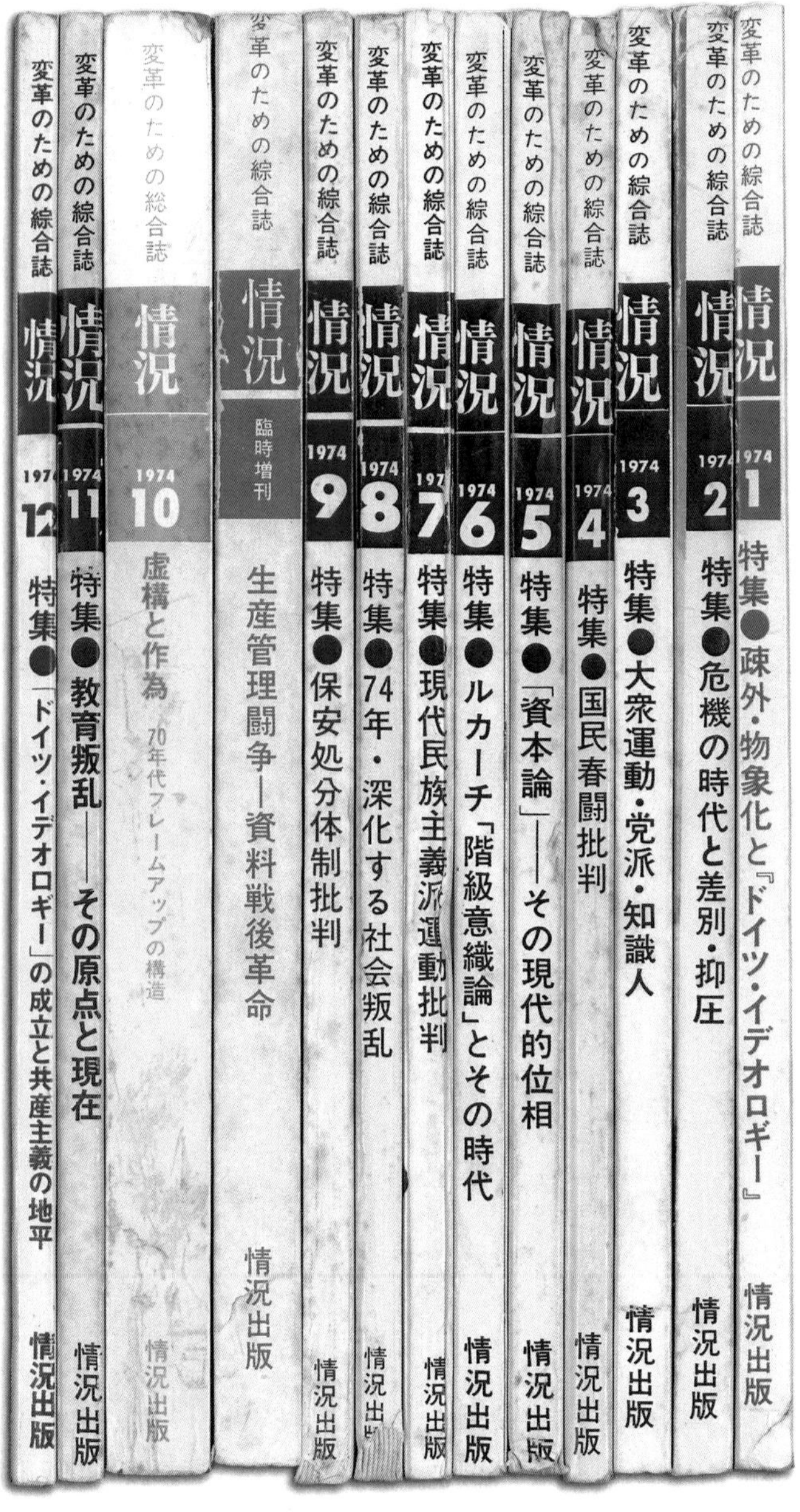

『情況』各号背表紙
1974年。65号（右端）から77号（左端）

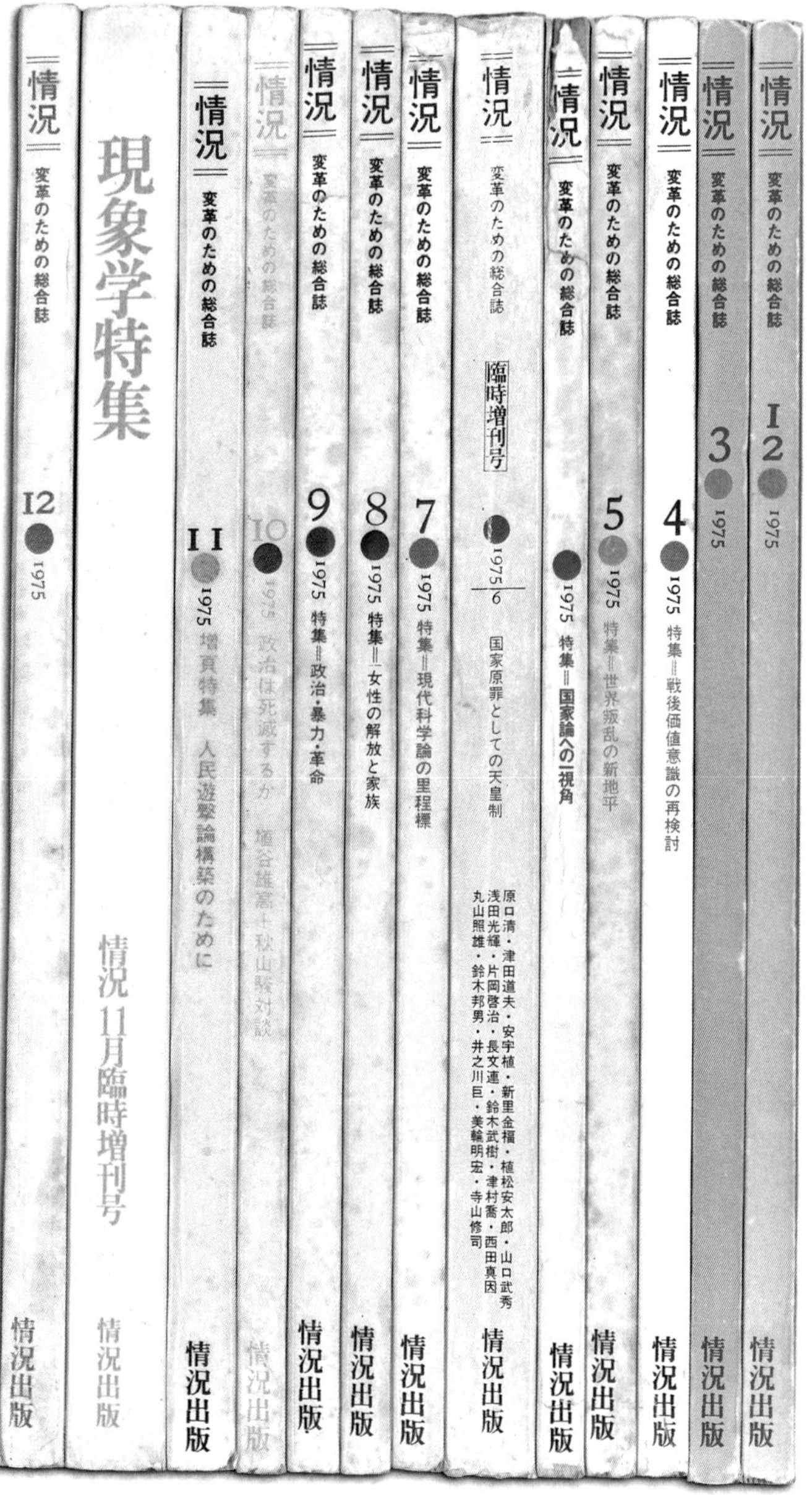

『情況』各号背表紙

1975年。78号（右端）から90号（左端）

『情況』各号背表紙

1976年。91号（右端）から101号（左端）

『情況』解説・回想・総目次・索引　目次

カラー口絵　『情況』各号背表紙

Ⅰ

解説　〈六八年〉の思想・知・実践
――「変革の総合誌」としての『情況』――　高橋順一　5

回想
1. ドブネズミたちの時代――『情況』とは何だったか　古賀　暹　25
2. 『情況』第二期から第五期に関する小話　菅原秀宣　37

Ⅱ

総目次……47

Ⅲ

索引……(1)

◎原本と復刻版との対照表

配本	復刻版巻数	原本通巻号数	原本発行年月
第１回配本	第１巻	創刊号～３号	1968年８月～10月
	第２巻	４号～６号	1968年11月～1969年２月
	第３巻	７号～９号	1969年３月・４月
	第４巻	10号～12号	1969年５月～７月
第２回配本	第５巻	13号～15号	1969年８月～11月
	第６巻	16号～18号	1969年12月～1970年３月
	第７巻	19号～21号	1970年４月～６月
	第８巻	22号～24号	1970年７月～９月
	別冊	解説（高橋順一）・回想（古賀 暹・菅原秀宣）・総目次	
第３回配本	第９巻	25号～27号	1970年10月～12月
	第10巻	28号～30号	1971年１月～３月
	第11巻	31号・32号	1971年４月・５月
	第12巻	33号～35号	1971年５月～７月
第４回配本	第13巻	36号～38号	1971年８月～10月
	第14巻	39号～41号	1971年10月～12月
	第15巻	42号～44号	1972年１月～３月
	第16巻	45号～47号	1972年４月～６月
第５回配本	第17巻	48号～50号	1972年７月～９月
	第18巻	51号～53号	1972年10月～12月
	第19巻	54号～56号	1973年１月～３月
	第20巻	57号・58号	1973年４月・５月
第６回配本	第21巻	59号～61号	1973年６月～８月
	第22巻	62号～64号	1973年９月～12月
	第23巻	65号～67号	1974年１月～３月
	第24巻	68号～70号	1974年４月～６月
第７回配本	第25巻	71号～73号	1974年７月～９月
	第26巻	74号・75号	1974年10月
	第27巻	76号～78号	1974年11月～1975年２月
	第28巻	79号・80号	1975年３月・４月
第８回配本	第29巻	81号～83号	1975年５月～６月
	第30巻	84号～86号	1975年７月～９月
	第31巻	87号～89号	1975年10月～11月
	第32巻	90号～92号	1975年12月～1976年２月
第９回配本	第33巻	93号～95号	1976年３月～５月
	第34巻	96号～98号	1976年６月～８月
	第35巻	99号・100号	1976年９月・11月
	第36巻	101号	1976年12月

I　解説・回想

解説

〈六八年〉の思想・知・実践
――「変革の総合誌」としての『情況』――

高橋順一

1

第一期『情況』誌が発刊されたのは一九六八年六月であった。発行日付は八月一日になっているが日本の出版慣行を踏まえれば六月と考えてよいだろう。創刊号の冒頭には「創刊にあたって」というマニフェストが掲げられている。そのマニフェストは「フランスの激動が、日々の新聞を埋め尽くしている最中に、われわれは今、「情況」創刊のアッピールを書かねばならぬことを悲しく思う」という文章で始まる。この文章はいろいろな意味で第一期『情況』がいかなる性格を持った雑誌であったかをよく示していると思われる。

＊

このマニフェストを執筆したのはおそらく『情況』初代編集長古賀暹《のぼる》（雑誌奥付の名義は阿由葉茂となっているが、古賀のペンネームである）であろう。古賀と『情況』の創刊に関しては有名なエピソードがあるのでちょっと紹介しておきたい。古賀は後ほど述べるように、六〇年安保闘争の後、東京社学同再建に関わり、三派全学連結成にも関わっていたが、一九六八年当時は一線を退いていた。また古賀は東大新聞編集部にいたことがあり編集業務に通じていた。

これを見込んだのが、旧制中学生時代に九州で日本共産党国際派の職業革命家として政治活動に携わり、大学入学後はブントの学生組織社学同（社会主義学生同盟）の前身である反戦学同（日本反戦学生同盟）の活動家としても活躍したマルクス主義哲学者廣松渉であった。ある日廣松は古賀を喫茶店に呼び出し雑誌創刊を懇請した。古賀はいったん断るが、廣松は上半身裸になって腹に巻いたさらしから百万円の札束を取り出し、この金で雑誌を出すよう重ねて懇請した。古賀が渋ると廣松は「男がいったん出した金をひっこめるわけにはいかない」と啖呵をきったので、ついに古賀は雑誌の創刊を決意したというのである。この雑誌になぜ『情況』という名がつけられたのかは定かではないが、ともかくこれによって第一期『情況』のスタートは切られたのであった。ではなぜ廣松はこの時期に古賀に雑誌の創刊を懇請したのだろうか。そこでマニフェストの冒頭の文章の内容が問題となるのである。

この文章に「フランスの激動」とあるが、六月に創刊された『情況』誌の編集作業は五月にもっとも集中していたはずである。その五月、フランスでは大学に対する異議申し立てから始まった学生運動が、ストライキから大学全体のバリケード封鎖、大規模な街頭デモへと発展し、さらには労働者たちのゼネストとも連動しながら、当時のドゴール大統領を頂点とするフランス国家体制全体に対する、革命と呼んでもおかしくないような大規模な反乱へと拡大していったのだった。長らく先進国における革命は不可能ではないかといわれていたなかで起こったこのフランスの大規模な政府に対する反乱は「パリ五月革命」と呼ばれ、フランスだけではなく全世界の学生たちや青年層に大きなインパクトを与えた。というのもこの頃世界の各地では、アメリカの介入によって拡大の一途をたどっていたヴェトナム戦争に対する反対運動が展開され――おひざ元のアメリカでも激しい運動が起きている――、それが反戦運動という枠組みを超えて、当時の政治社会体制総体に対するラディカルな反乱・反逆へと発展しつつあったからである。

とくに大学では、社会の大衆化に伴うマスプロ教育の拡大、経済利害に基づく産学協同路線の推進、さらには反戦デモへの参加などを口実とする政治権力の大学自治への介入の強化ならびに学内管理体制の強化などが推し進められ、それに対する反発から全世界の大学で学園闘争が激化しつつあった（アメリカのコロンビア大学やカリフォルニア大学、ドイツのベルリン自由大学、フランスのストラスブール大学やソルボンヌ大学など）。日本でもすでに一九六六年頃から早大や明大などで学費値上げをめぐって学園における闘いが勃発していた。パリ五月革命はこうした流れを決定づける烽火となったのである。『情況』の創刊はこのパリ五月革命に決定づけられた一九六八年の時代状況と深く結びついていたといってよい。

＊

もう少し具体的に当時の日本の状況を振り返ってみよう。六〇年安保闘争におけるブントとその学生組織であった社学同、そして社学同がヘゲモニーを握っていた全学連（全国学生自治会総連合）の運動とともに始まった、伝統的なマルクス＝レーニン主義（スターリン主義）理論およびその担い手である日本共産党の打倒と、新たな革命運動の構築を目指す新左翼運動は、安保闘争敗北後の六〇年代前半の分裂と停滞の時代を経て、古賀が関わった一九六二年の東京社学同再建、そして一九六六年の革共同（革命的共産主義者同盟）中核派、社学同、社青同（社会主義青年同盟）解放派の三派による全学連の結成を経て、首都圏におけるヴェトナム戦争への米軍出撃拠点となっていた立川・砂川基地や米原潜寄港基地となっていた横須賀や佐世保における反基地・反戦闘争を軸にしながら学生運動が盛り上っていくことに活路を見いだそうとしていた。先ほども言及したヴェトナム反戦運動の日本における社会的広がりもそれを後押しした――べ平連（ベトナムに平和を！市民連合）や労働組合青年部を中心とする反戦青年委員会が結成されたのもこの頃だった――。

学生運動にとって決定的な転機となったのは一九六七年一〇月八日の佐藤首相南ヴェトナム訪問阻止闘争である。この日佐藤が飛び立つ羽田空港周辺に結集した三派全学連を中心とする学生部隊は、空港突入を目ざしてヘルメットと角材で武装し警察機動隊と激しく衝突した。その渦中で当時京大の一年生だった山崎博昭が死亡するという事態も起きている。この闘いを機に三派全学連を中心とする日本の学生運動はその突出した急進性と戦闘性によって、ヴェトナム反戦運動のみならず一九七〇年に迫っていた安保条約再改定を阻止しようとする第二次安保闘争の主役へと躍り出たのであった。この後一九六八年にかけて王子野戦病院建設阻止闘争、原子力空母エンタープライズ佐世保寄港阻止闘争、米軍ジェット燃料輸送阻止闘争――現在埼京線が走っている山手線の外側線路や中央線線路を当時立川や厚木、横田からヴェトナムに向けて出撃する米軍戦闘機や爆撃機へと供給されるジェット燃料を積んだタンク車（米タン）が日常的に走っており、一九六七年八月八日には新宿駅構内で大規模な爆発事故を起こしている――などが立て続けに闘われ、学生運動は、ドイツ語で「暴力」を意味する「ゲバルト」という言葉とともに当時の政治・社会状況に大きな衝撃を与えることになる。

その一方、大学を舞台とする学園における闘い、いわゆる学園闘争も六八年になると爆発的ともいえる広がりを見せるようになった。その中心となったのが医学部生に対するずさんな処分が発端となり大学総体に対する異議申し立て、さらには全学無期限スト・バリケード封鎖（その象徴としての安田講堂封鎖）へと発展していった東大闘争と、不正・腐敗にまみれ伏魔殿と呼ばれてきた日大理事会に対し使途不明金問題をきっかけに学生たちの抗議運動が始まり、やはり全学無期限スト・バリケード封鎖に発展した日大闘争であった。その運動の過程では、大学から公認され自治会費の代理徴収も行われていた学生自治会に代わり、学生たちの自主的・自発的な闘争組織である全学共闘会議（全共闘）が結成され闘争をリードしていった。また自治会がしばしば共産党の下部青年組織である民青（民主青年同盟）や革共同の下部組織マル学同（マルクス主義学生同盟）、社学同、社青同解放派の下部組織反帝学評（反帝国主義学生評議会）といった政治党派組織の抗争の場になったのに対し、全共闘においては東大全共闘代表の山本義隆や日大全共闘代表の秋田明大のように、ノンセクト・ラディカルと呼ばれる非党派的な活動家が運動をリードし、それを通じて従来の左翼運動に伴いがちであった硬直した運動・組織論をはみ出す柔軟かつ創意に富んだ発想が生まれていったのである（山本義隆『知性の叛乱』前衛社参照）。そして大学における闘いは大学解体を目ざす永久革命運動の様相さえ見せるようになっていく。

ともあれ、六八年に向かって全世界で既成の権威や秩序、国家や社会のあり方に対する反抗・反逆が学生・青年層を中心に爆発的に広がっていったのである。その背景に何があったかを簡潔に語るのは難しいが、私は二つの時代のサイクルが臨界点に達しつつあったこと、それにともなって社会の内部に大きな変容・転換が生じたことが大きな要因であったと考える。一つは一八四八年の「革命」の年を境に始まった重厚長大産業を中心とする産業主義的近代のサイクルが、それによって作り出された政治経済体制とともに飽和状態を迎え臨界点へと達したことである。このサイクルの臨界点への到達はそのまま「近代世界システム」（E・ウォーラーステイン）の終焉の始まりともなった（ウォーラーステイン他『1968年の世界史』藤原書店参照）。もう一つのサイクルは一九四五年の第二次世界大戦終焉とその後の冷戦体制の下で始まった戦後世界システムが臨界点に達したことである。冷戦下で二つに分岐した体制の一方の担い手である自由＝資本主義経済は、五〇年代から六〇年代にかけてケインズ理論を主軸とする修正資本主義－福祉国家路線を通して経済成長を謳歌した。一方社会主義陣営も計画経済の下で一定の経済成長を遂げることが出来た。しかしヴェトナム戦争の激化によってアメリカからのドルの海外流出が進み、金ドル兌換体制に基づく戦後経済の要ブレトンウッズ体制が揺らぎ始めたことや、各国の財政支出に伴う赤字の拡大、技術移転や労働力の多様化に伴う先進国の産業基盤（とくに鉄鋼・造船など）の急速な衰退によって自由＝資本主義経済には行き詰まりが見え始めた。

一方、社会主義経済も、計画経済に基づく経済全体の国家による統制という経済構造がとくに流通・消費部門の機能不全によって急激に停滞していった。そして若い世代を中心に既存の体制に逆らう新しい社会意識や感性が育ち始めており、それが物質的豊かさ中心の価値観にも世界観にもノーを突きつけ始めていた。折から情報・サービス部門（第三次産業）の比重が重厚長大産業中心の第二次産業を上回りつつあったこともあり、一九六八年は反乱の年というだけにとどまらない近代という歴史的スパンそのものの転換の年としての意味も、別ないい方をすれば壮大な文化革命の始まりの年としての意味も持つに至ったのである。

『情況』の創刊がまさにこうした時代の渦中に行われたことに注目しなければならない。さらにいえば『情況』はそうした時代、とくに新左翼運動の空前の隆盛を見せ始めていた時代にあって、たんなるジャーナリズムの担い手というだけでなく新左翼運動の理論的・実践的展開にも積極的に関わろうとした。マニフェスト冒頭の文章にあった「「情況」創刊のアッピールを書かねばならぬことを悲しく思う」という言葉は、パリ五月革命のような運動の展開をまだ日本において果せていないことへのくやしさの表明であるとともに、自分たちがそうした運動への実践面も含めた積極的な関わりを決してやめないことへの決意表明ともいえるであろう。事実、『情況』誌はその後の七〇年代に至るブントの激烈な党内闘争の過程で、赤軍派、戦旗派、叛旗派などとともに古賀や古参労働運動家高橋良彦（松本礼二）などが中心となって結成された「情況派」の柱となるのである。

2

さて今度は創刊号の目次から『情況』の性格、特性を探っていってみよう。目次の総タイトル、すなわち創刊号の特集テーマは「世界革命の思想――ゲリラと都市暴動」である。そして全体が三部に分かれている。第一部には「マルクーゼの思想とドイツ新左翼」（清水多吉）「フランス「五月危機」と学生運動」（加藤晴康）「ＬＡ〔ラテン・アメリカ〕革命におけるゲリラ戦争」（太田竜）が、第二部には「急進主義と世界革命」（浅田光輝）「現代帝国主義下の階級形成」（藤本進治）が、そして第三部には「座談会：一九七〇年斗争とは何か」（司会山中明・森茂〔革マル派〕・松本礼二〔ブント〕・津和生〔社会主義労働者同盟（後の共労党（共産主義労働者党）、学生組織は共学同（共産主義学生同盟））〕）、そして「黒い歌黄色い歌 ジャズと黒人暴動」（林光）「変革と表現と」（福田善之）「連載：永久革命論の深層（1）」（高知聡）が収録されている。さらにコラムというかたちで「ソルボンヌアピール」と「１９６８・６・１５」も収録されている。前者が五月革命のドキュメントであることは言うまでもないが、後者は六〇年安保闘争の頂点ともいうべき、樺美智子さんが犠牲となった六月一五日の国会南門突入闘争から八年目の集会の報告である。六八年という叛乱の季節の到来の中で久々に盛り上がった集会とデモの様子が描かれている。雑誌全体は編集後記を含め一〇〇頁だから後の『情況』に比べるとかなり薄い印象がある。ちなみにこのボリュームは新左翼運動が現実に盛り上がっていた時期のあいだ続き、運動の退潮とともに厚くなっていく。思想的・理論的面の比重が増したせいだろうと思われる。

さて、この目次にはすでにいくつかの『情況』の特色というべき要素が現われているのを見て取ることが出来る。それは第一期『情況』のみならずその後の主として第三期までの『情況』に共通して見られた特色といえるだろう。まず第一には、総タイトルにも現われている現代革命論の展開への強い志向である。ソ連を中心とする既成社会主義国家の打倒を目指す新左翼運動の発展は、前衛党（共産党）が中核となり、その指導の下にある組織された労働者部隊が主体となって革命を遂行するというマルクス＝レーニン主義革命論の絶対性を揺るがした。おりしも一九六〇年代後半は、中国で毛沢東によって既存共産党指導部の打倒を目指す（造反有理）プロレタリア文化大革命が発動され、毛沢東の根拠地－持久戦－遊撃戦に基づく革命論があらためて注目をあびるとともに、ラテン・アメリカやアフリカ、アジアでジャングルや都市スラム地区を拠点に、民族解放闘争の延長線上となる山岳ゲリラや都市ゲリラたちのラディカルな革命のための戦いが活発化していた。こうした流れのなかから現代革命闘争をゲリラ－遊撃戦の戦闘形態に求める志向が強まっていく。そのシンボルがカストロとともにキューバ革命を成し遂げ、この頃はボリビアで山岳ゲリラ闘争に従事していたチェ・ゲバラである。創刊号の裏表紙には三一書房から刊行されていた三一新書の一冊であるゲバラの『ゲリラ戦争』の広告が載っている。また労働者に対してより先進的な学生たちの運動こそが革命の導きの糸になりうるといういわゆる学生運動先駆性論も、パリ五月革命や三派全学連、東大・日大闘争などを通して力を得ていた。全世界的な学生運動の突出が、いわゆる第三世界（南の国々）の民族解放――ゲリラ闘争と並んで現代革命論の新たな可能性の根拠となりつつあったのである。第一部の加藤の論文や太田の論文はそれを示している。第二部の二つの論文はそうした状況に対して旧世代に属しつつ新左翼に理解を示しつつあった二人の老革命家のコメントである。『情況』はこうした老練な革命家にも目配りを忘れなかった。第三部に登場する林光は戦後を代表する作曲家の一人でオペラシアター・こんにゃく座を主宰し、左派的立場から民衆と音楽の結合を目ざす芸術家であった。『情況』

にはこの一回しか登場していないと思われるが、林の名があることは『情況』の一つの側面である文学者や芸術家とのつながりを示している。福田善之も劇作家で、一九六二年に発表した戯曲『真田風雲録』によって六〇年安保闘争の文学表現に成功したことはよく知られている。福田は後に、『情況』臨時増刊号「反乱は拡大する　東大・日大闘争の意味するもの」（六九年三月）で日大全共闘の秋田明大と対談をしている。高知聰は文芸批評家として知られ、代表作に『異貌の構図』『都市と蜂起』などがあるが、後年急速に革マル派へと接近し『情況』とは対立することになる。

＊

第二の特色は日本の新左翼運動との実践的な色彩の濃い同時平行性である。六〇年代後半から七〇年代まで続く多様な日本の新左翼運動の活動の歴史のなかで『情況』は実際に戦いを担っている党派・非党派の活動家に発言の場を提供し続けた。第三部の座談会はそのドキュメントである。ちなみにその後日本新左翼運動とたもとを分かち、他派と壮絶な殺戮合戦まで繰り広げた革マル派のメンバーが座談会に参加しているのは時代を感じさせる。この要素は、第一の要素である現代革命論の模索とも相まって様々な形での日本革命論の試みへとつながっていった。たとえば六九年一〇・一一月のいわゆる「佐藤訪米阻止決戦」――新左翼諸党派はこの闘いを七〇年安保闘争の実質的な天王山と位置付けていた――に関する総括を軸に、六九年一二月号から二回にわたって連載された座談会「一〇・一一月決戦における労働運動」などはその頂点をなすものといえよう。ここには後に中核派の労働運動の要となった動力車労組千葉の委員長中野洋とやはり中核系の長崎造船社研の西村卓司が、上記松本をはじめとするブント系のメンバーとともに参加しているのが注目される。この時期の日本新左翼運動を牽引していたのはブントと中核派であった。なお日本革命論として『情況』に掲載された論文で注目すべきは一九七二年連合赤軍問題が露呈した直後に現れた「日本革命思想の転生」であろう。筆者黒木龍思は本名笠井潔、一九六九年当時、共労党の指導者だったがこのときまだ二〇代前半の若さであった。この論文で黒木＝笠井は日本革命思想のなかに現れた傾向を「ロマン的反動」と呼んで批判を加えようとしている。この後触れる問題でもあるが、六八年の思想には近代批判の要素が含まれていた。科学主義や生産力主義、さらには合理主義や機能主義として現れる近代イデオロギーに対する批判は六八年の思想の重要な要素であった。そしてそれはこの頃、文芸批評の領域における土着・民俗といった概念への着目へと、さらには共同体やかつての日本農本主義における社稷の概念への関心の高まりへとつながっていく。『情況』にもこうした傾向をもつ論文がいくつか掲載されている。ちなみに創刊号に書いている太田竜はかつて第四インターと呼ばれたトロツキー理論に基づく政治党派の指導者だったが後に原始共同体回帰主義に彩られた荒唐無稽な土着革命論へと堕していった。黒木＝笠井はこうした傾向を批判し、無批判な近代主義と反動的反近代主義を同時に批判しうるような理論の構築を訴えている。笠井がおそらくこの論文の延長線上において、連合赤軍問題に正面から取り組んで書いた著作『テロルの現象学』（作品社）は今なおこの問題を扱った著作のなかでは最も優れたもののひとつであるといってよい。ちなみに笠井は『情況』論文の掲載後フランスへ渡り、帰国後は小説家として活躍することになる。代表作『哲学者の密室』（創元推理文庫）にはハイデガーとレヴィナスがライヴァルとして登場する。

3

さて新左翼運動のバックボーンとなる新たな思想・理論の模索は第二期以降も含め『情況』の最大の特色といえるだろう。しかもそれは、たんに実践的に役に立つというだけではなく、幅広い意味での新たな世界観や人間観、価値観の土台となりうるような、そして語の真の意味での「コミュニズム」の理想につながりうるような思想・理論の模索であった。したがってこの思想・理論の模索はマルクス主義の範囲だけに限定されなかった。もちろんマルクス主義が大きな前提となっていることは間違いないが、同時にマルクス主義と時代をともにする様々な思想にもその門戸は開かれていた。創刊号にはまだその要素が十分現れているとは言えないが、それでも巻頭の清水の論文からはその一端を読み取ることが出来る。

今言った思想・理論の模索のうちでまずマルクス主義の問題に即して言うと、硬直化し反動と化してしまったマルクス＝レーニン主義理論に代わる様々なマルクス思想の再解釈の試みを挙げることが出来る。少し前の六〇年代前半には初期マルクスの『経済学＝哲学草稿』における疎外論に依拠したヒューマニズム的なマルクス主義解釈が大きな潮流になっていた。たとえば革共同の理論的指導者だった黒田寛一はその代表格である。だが六〇年代後半になるとそれにとどまらないマルクス再解釈の様々な試みが登場する。そのうちまず挙げておきたいのは、早くから二〇世紀マルクス主義の歴史において重要な役割を果たしてきたヨーロッパ・マルクス主義である。ヨーロッパ・マルクス主義はハンガリーのマルクス主義者G・ルカーチの初期の仕事とともに始まる（メルロ＝ポンティ「『西欧』マルクス主義」『メルロ＝ポンティ・コレクション』7 みすず書房参照）。マルクス＝レーニン主義正統派に屈服し抜け殻となった後期ルカーチの著作はそれまでも紹介されていたが、初期ルカーチの『悲劇の形而上学』『魂と形式』『小説の理論』『歴史と階級意識』『ブルムテーゼ』などのみずみずしく創造的な著作が日本に紹介されたのは、折から刊行が始まった白水社の『ルカーチ著作集』と三一書房の『ルカーチ初期著作集』によってであった。ヨーロッパ・マルクス主義の系譜にはほかにもドイツのカール・コルシュやイタリアのアントニオ・グラムシ、さらにはローザ・ルクセンブルクなども含まれる。ヨーロッパ・マルクス主義の特色として挙げられるのは、まず第一に成熟した近代市民社会のあり方を社会主義革命やその後に成立する社会主義社会のあり方の前提に置くこと、したがってとくに市民社会が達成した自由や人権や寛容の原理を最大限尊重することである。これが、プロレタリアート独裁に典型的に現れているマルクス＝レーニン主義（スターリン主義）の非寛容な全体主義的傾向とまったく相いれないのはいうまでもない。第二には、そうした市民社会のあり方のバックグランドとなった思想、特にマルクス主義の、とくに哲学的側面へと流れ込んでいるルソー、カント、ヘーゲルなどの思想の再評価である。これによって近代の達成した文明の最高水準から社会主義への移行を可能にすることが目ざされるのである。とはいえそれはヨーロッパ近代の無条件な肯定・受容を意味するわけではない。それどころかこの潮流からはヨーロッパ近代そのものの根底的な捉え返しの方向性もまた見えてくるのである。その代表がフランクフルト学派であった。マックス・ホルクハイマー、テオドーア・W・アドルノ、ヴァルター・ベンヤミン、エーリヒ・フロム、カール・ヴィットフォーゲル、フランツ・ボルケナウらのメンバーからなるフランクフルト学派は、一九二四年に創設されたフランクフルト大学社会研究所を拠点としつつ、ルカーチやコルシュのマルクス解釈から出発して、マキャヴェリからヘーゲル、ニーチェに至る近代政治・社会思想の歴史的捉え返しとともに、同時代の新カント派、フッサールやハイデガーの現象学、ポルトマンやゲーレンらの哲学的人間学などのネオ形而上学的哲学との批判的対決を推し進め、さらにはウェーバーやウェブレン、デュルケームらの社会学やフロイトの精神分析理論の成果をも取り入れて、「学際的唯物論」と呼ばれる脱領域的・複合的な研究活動を行うとともに、近代の市民社会－国家体制を背景に成立する科学的客観主義と観念的主観主義の両イデオロギーに対しその虚偽性を鋭く暴く「批判理論」の方法を確立し、多様な社会現象や文化現象（たとえば権威主義的家族制度や文化産業など）に対して鋭利な分析のメスをふるった。彼らの仕事は、ファシズムと戦争の影に覆われた三〇年代から四〇年代にかけての暗い時代の希望の灯であったといってよい。とくに研究所の所長であった社会哲学者ホルクハイマーと僚友の哲学者であり音楽家であったアドルノが、アメリカ亡命中に共同で執筆した、ファシズムをヨーロッパ文明史の根本現象として解明しようとする『啓蒙の弁証法』、四〇年に亡命に失敗し自死したユニークな思想家であり批評家であったヴァルター・ベンヤミンの、一九世紀資本主義の根源史の解明を目ざした『複製技術時代の芸術作品』『ボードレール論』や未完の大作『パサージュ論』（いずれも岩波文庫）、そしてルカーチの親友であり、すでに一九一八年に、一種の神学的ユートピア主義の視角からマルクス思想の捉え返しと二〇世紀の革命の理念の再構築を目ざす大著『ユートピアの精神』（白水社）を著し、ベンヤミンやアドルノに多大な影響を与えていた哲学者エルンスト・ブロッホがファシズムと戦争の時代に書いた著作『この時代の遺産』（水声社）、『希望の原理』全三巻（白水社）などは文字通りあの暗い時代の記念碑的モニュメントといえるだろう――ブロッホは研究所のメンバーではなかったが、研究所と同じくアメリカへ亡命しているし、そもそもベンヤミンやアドルノの親友として研究所に近い立場にあった――。『情況』

はこのフランクフルト学派やブロッホに創刊当時から大きな関心を払っている――ちなみに古賀は第一期『情況』終刊後ドイツへ渡ってフランクフルト大学で学び、フランクフルト学派第四世代にあたるアレックス・デミロヴィッチと親友になる――。その頃初期ルカーチ、ブロッホ、フランクフルト学派に関しては、京大の野村修や池田浩士、好村富士彦、都立大学の川村二郎らが論文と翻訳を通して日本への紹介を始めたばかりであったのだが、『情況』はそうしたなかで立正大学の清水多吉や、獨協大学の片岡啓治、船戸満之などと結んでブロッホを含むフランクフルト学派の移入を『情況』の重要な柱にしていったのである。創刊号で清水が取り上げているヘルベルト・マルクーゼは、もともとハイデガーの弟子だったがマルクス主義へと移行し、特にヘーゲルとマルクスの思想的関係についての重要な仕事（『理性と革命』未來社）を残したフランクフルト学派のメンバーである。彼はホルクハイマーやアドルノとともにアメリカへ亡命し、戦後はアメリカに残って、精神分析を踏まえエロスの持つ社会解放の力についての著作（『エロス的文明』紀伊國屋書店）や、高度化する管理社会のソフトな抑圧体制の打破を目指す著作（『抑圧的寛容』合同出版）によって、六八年の反乱の時代にアメリカの若者たちから熱狂的に迎えられた。さて第一期の『情況』でとくに際立つのがブロッホ紹介への力の入れ方である。七〇年一月号から始まった『希望の原理』の翻訳連載（未完）、七三年の『革命の神学者トーマス・ミュンツァー』の翻訳連載（全三回完結）、『希望の原理』の翻訳のメンバーの一人であった片岡啓治が六九年一二月号から連載を始めた論文「死と理性」、後に『ユートピアの精神』の個人訳という偉業を達成した好村富士彦が七四年一月号に掲載したブロッホ訪問記などは注目に値する。『情況』がとくにブロッホに関心を持ったのは、ブロッホの思想が現にあるものの並はずれてラディカルな否定・否認に貫かれていたこと、そしてドイツの新左翼学生運動に強い共感を示し、高齢にもかかわらずドイツSDS（社学同）の指導者ルディ・ドゥチュケとともに集会に参加したりデモを行っていたせいであろう。フランクフルト学派の思想は六八年の運動に大きな影響を与えたのだが実践性という点では問題点を残していた。フランクフルト学派の第二世代に属するユルゲン・ハーバーマスが学生運動をファシズムになぞらえて批判し物議をかもしたことはよく知られている（後に自己批判したが）。

ドイツ学生運動への『情況』の関心も高く、ドゥチュケ「スターリン主義からの訣別」が六九年四月号に掲載されている。

＊

もう一つ『情況』におけるマルクス再解釈の試みの大きな柱となったのは、『情況』の生みの親ともいうべき廣松渉による新たなマルクス解釈の試みである。それは、その徹底性と厳密性、巨大性において世界的にも例を見ないマルクス思想の再創出の試みであった。おそらく廣松の試みの持つ思想的意味に匹敵しうるのはかろうじてフランスのルイ・アルチュセールだけであろう。廣松は初期マルクスの疎外論と後期マルクスの社会経済理論を分断するような発想を斥け、とくに『ドイツ・イデオロギー』執筆の時期に確立されたマルクスの思想的方法およびその枠組みを物象化という概念や共同主観性という概念によって定式化しつつトータルに把握しようとした。そしてその試みはたんにマルクス解釈というだけでなく、廣松哲学と呼ばれる近代以後の歴史地平を指し示すための世界観的指針にまで凝縮していくのである。『情況』に掲載された廣松の論文の量は膨大だが、なかでも六九年四月号から断続的に書き継がれていった「マルクス主義における人間・社会・国家」や七二年四月号に掲載された「人間存在の共同性の存立構造」は、七三年一月号で行われている廣松と白井健三郎、足立和浩との座談会で足立が言っているように、同時期の『思想』（岩波書店）に掲載された「共同主観的存在構造」三部作とともに、廣松のライフワークというべき『存在と意味』全三巻（二巻で途絶）の原型としての意味を持つものである。さらには廣松によって触発されるように、六〇年代から七〇年代にかけて他にも膨大なマルクス再解釈の試みが『情況』に載ったことも忘れてはならない。その中でも重要なのは廣松に影響を受けた新進気鋭の研究者が続々と登場し、いわゆる「廣松シューレ」が形成されたことである。私自身もその一員であったこのシューレには、今村仁司、高橋洋児、山崎カヲル、吉田憲夫、山本耕一、星野智、忽那敬三、熊野純彦らが属し、八〇年代から九〇年代にかけての日本のマルクス研究をリードしていったのだった――一九八三年のマルクス死後一〇〇年を記念する岩波の『思想』特集号の書き手の大半は「廣松シューレ」のメンバーだった――。これらのメンバーの多くが私も含め『情況』に多数寄稿しているが、とくに際立つのは、最初園村奎のペンネームで、廣松が手掛けた『ドイツ・イデオロギー』編纂問題や初期マルクスから後期マルクスへの理論的推移などの問題を手始めに、マルクスの哲学、経済学、社会理論全般にわたり極めて犀利な論文を多数執筆するとともに座談会の司会やコーディネートも務め、ある時期『情況』を切り回していたといっても過言ではなかった元中大ブントの活動家山本啓である。山本によって『情況』の理論水準は一挙に高まったといってよい。それに「廣松シューレ」は何といっても山本が吉田たちと創設した社会思想史研究会が母体となって成立したのだった。『情況』はこの「廣松シューレ」の揺籃というべき存在であった。

もう一点付け加えておくと、廣松の仕事に触発されながらも、廣松とは異なる観点から『ドイツ・イデオロギー』や『資本論』の準備ノートに当たる『経済学批判要綱』の研究で独自な境地と水準を切り開いた専修大学を中心とする極めて高度なマルクス研究の潮流があった。そこには望月清司、内田弘、森田桐郎などの他、京大の平田清明らが属していた。『情況』は、いわゆるアドラツキー版と呼ばれる既存『ドイツ・イデオロギー』におけるフォイエルバッハ論のテクストを偽書に等しい改竄と批判し、自ら編輯プランを示してきた廣松の文献学的研究をトレースするとともに、七四年一月の廣松『ドイツ・イデオロギー』手稿復元・新編輯版の刊行（河出書房新社）、さらには廣松とは違う角度から『ド・イデ』解釈に一石を投じた平田清明の著書『経済学と歴史認識』（岩波書店）が七一年に、さらには望月の著書『マルクス歴史理論の研究』（岩波書店）が七三年に刊行されたことに触発されながら、『ドイツ・イデオロギー』の文献学的問題や解釈・評価の問題をめぐる両者のあいだの批判的な対話を推し進めたのであった。今手許にある第一期『情況』のバックナンバーを見ると、七二年一月号の坂間真人「『ドイツ・イデオロギー』文献批判の意味」から始まり、七二年一〇月号特集「平田共同体論と国家・市民社会」、七四年一月号特集「疎外・物象化と『ドイツ・イデオロギー』」、七四年一二月号特集「『ドイツ・イデオロギー』の成立と共産主義の地平」と続くこの問題への取り組みの跡をたどることが出来る。『情況』がこの問題に傾けた並み並みならない熱意が窺えるであろう。ちなみに坂間は慶応大の学生時代から廣松のプランに基づく『ド・イデ』手稿版復元作業に取り組み坂間版『ド・イデ』テクストをガリ版パンフの形で公刊していた、まさに早熟の天才の名にふさわしいマルクス研究者だったが惜しくも七六年一月に二七歳で早世する。『情況』は七六年四月号で彼の追悼特集を組んでいる。

さてここで問題の焦点となったのは、廣松が『ド・イデ』の段階においてマルクスが初期のヘーゲル／フォイエルバッハの影響下に形成された疎外論－個／類論の地平から、交換－交通関係を軸に編制される社会関係の共同主観的な存立構造とそこに働く物象化の機制を認識の中心に置く地平へと決定的に推移したと考える（ヘーゲルの断絶）のに対し、望月ら専修派が、『ド・イデ』の後の『要綱』の段階で、マルクスが再度ヘーゲルの疎外論の捉え返しを行い、そこで疎外＝物象化ともいうべき視点を提示したと考えていた（ヘーゲルとの連続）ところにある。このことは、マルクス思想＝理論を決定的にポスト近代的なものと受け止めようとする廣松と、マルクス思想＝理論を、「資本の文明化作用」の頂点とともに始まる資本主義的近代以降の世界を開くための武器と考えていた専修派の、ある意味近代主義的ともいえるマルクス解釈の違いともいえる。それは彼らが市民社会マルクス派と呼ばれた所以でもあった。このマルクスの捉え方の違いは、その後八〇年代、九〇年代のポストモダン＝ポスト構造主義の時代におけるマルクス解釈の問題に受け継がれ、大きな論点となっていった、それは、やはり『情況』の初期の常連執筆者であった柄谷行人の『マルクス その可能性の中心』（講談社）や、廣松を受け継ぎつつ独自なマルクス解釈の地平を示すとともに日本の代表的なポスト構造主義思想の担い手となった今村仁司の『暴力のオントロギー』（勁草書房）『排除の構造』（青土社）などに現れている（七五年四月号座談会「マルクス学の最近の動向」今村仁司・山本啓・廣松渉参照。なお第一期『情況』一九九六年臨時増刊「廣松渉を読む」所収の拙稿「ポスト近代におけるマルクスの意味――言説＝理論革命の準拠点としてのマルクス」を参看願えれば幸甚である）。ちなみに第一期『情況』の貴重な遺産の一つが、初期の柄谷行人のテクストであると私は考えている。六九年に夏目漱石論で『群像』批評新人賞を受賞した柄谷は、『情況』ではじめて文芸批評の枠をはみ出す、後の『探究』や『トランスクリティーク』につながる仕事を発表したからである。それは一面では柄谷による新しいマルクス解釈の試みでもあった。その代表的な仕事が七〇年八月号に掲載された「自然過程論」である。吉本隆明の『共同幻想論』の影響が色濃く残るこの論文で柄谷は、社会の存在を自明視するところから出発する認識を根底から疑う視点を示すことによって、彼のマルクス再解釈の第一歩を開始したのであった。こうした柄谷の視点との関連でいうと、日本の初期トロツキー紹介に貢献した対馬忠行の甥・対馬斉のマルクス論がもたらしたインパクトも忘れることが出来ない。彼の論文は初期の『情況』にしばしば掲載され、当時のマルクス再解釈に一石を投じた。もっとも代表的な論文は七〇年五月号に掲載された「マルクス存在論」であろう。この論文で対馬はマルクス思想を徹底的に近代的意識主体の対自構造から切り離し、非同一的な対他性にこそマルクス思想の鍵があることを強調している。この論文を読むと柄谷のマルクス解釈に対馬のマルクス解釈が一定の影響を与えていることがわかる。私は、対馬斉が『情況』とともに登場した重要な思想家の一人であると信じている。

4

だいぶ紙数を重ねてきたので、後は少しランダムに第一期『情況』の特色を挙げながら、その歴史的意味や今後に残る課題、問題点についてまとめていきたい。

すでにふれたことと関わるが、第一期『情況』にとって重要な問題であったのが大学論である。六八年の反乱とともに大学に突きつけられた否《ノン》は、大学を軸に形成されてきた学問文化のあり方に対しても厳しい問いをつきつけた。この問いに誠実に答えようとする大学人にとってもっとも重要なメディアとなったのが『情況』であった。手許にあるバックナンバーによると、六九年二月号に東大全共闘の山本義隆、日大全共闘の秋田明大を交えた座談会「反大学」が掲載されている。ちょうど六九年一月一八日・一九日の東大安田講堂封鎖解除攻防戦の時期である。国家権力と大学当局の結託による闘争圧殺の動きが拡大する中、大学闘争の理念、思想の根拠、意味がどこにあるのかを真摯に問おうとする参加者の姿勢が心を打つ。さらにこの問題に関してもっとも重要なのが、すでに名前を挙げた『情況』臨時増刊「反乱は拡大する」と『情況』六九年七月号「大学を告発する」である。前者では東大闘争と日大闘争についての全面的な総括と今後の闘争の展望が展開されている。そこで注目すべきなのは、とくに東大闘争において研究者の第一歩である大学院生や教員の第一歩である助手が闘争のコアメンバーとして活躍したことである。助手のひとりで元全学連委員長であった塩川喜信の「東大闘争――闘争の論理」とやはり助手であった村尾行一の「東大全共闘――この奇妙なる生態系」は、東大闘争、さらには六八年に展開された大学闘争全体の持つ思想的意味や特性を掘り下げた優れた論文である。ところで東大の助手たちにとどまらず大学闘争には講師、助教授、教授などの身分を持った教員も少数ではあったが参加している。このいわゆる造反教員と呼ばれた闘う教員たちは大学闘争の最も深い思想性を体現する存在であった。というのもある意味身軽ともいえる学生とは異なり大学に身を置く教員たちは、自分自身が叛乱の標的となった大学の秩序の担い手であり、かつ四年で大学を過ぎていく学生とは違い教員にとっては大学が生きる場そのものだったからである。その大学に対し叛乱を起こすことは、教員一人一人の存在総体、もっとも深い意味での思想性総体を賭ける行為にならざるをえなかった。六九年三月号にはその当時中大学生会館で開催されていた自主講座の一環として行われた吉本隆明の講演「大学共同幻想論」が収録されているが、そこで吉本はこの大学闘争が、戦後民主主義の中で育まれた教員層の思想が根底から問われ試される機会であったといっている。だがそうした問いにさらされたはずの教員たちの多くは権力と結託し運動の弾圧に狂奔した。彼らには思想性などかけらも存在しなかった。存在したのは秩序維持だけを考える管理者、行政官の発想であった。だが大学闘争の問いかけるものに誠実に向き合い闘いに踏み切った教員たちも存在したのである。そうしたいわゆる造反教員たちが六九年五月二九日一堂に会して報告集会を行い、さらには翌未明まで続く徹夜討論を行った。その記録が「大学を告発する」である。今回久しぶりにその記録を読み返し大きな感動を覚えた。そこには大学闘争において表現されたもっとも深く密度の高い言葉が見出されるからである。教条のかけらもない自ら思考し決断する精神の深部から発せられたその言葉にこそ六八年の思想のもっとも深い要素というべきものが現われているといえよう。七一年に早世した小説家であり京大助教授であった高橋和巳、詩人であり『芭蕉七部集評釈』という不世出の名著の著者でもある東京外語大教授安東次男、ベンヤミンの優れた翻訳と評伝の執筆を行った京大助教授野村修など、どの報告の言葉も、そして続く徹夜討論の中での発言も心を打つが、ここでは一つだけドイツ文学者で神戸大学の講師だった松下昇の「実をいうとここで発言するのは非常に苦痛なんです。しかし、この苦痛は情況の苦痛とどこかでつながっているはずだという思いのうえで発言したいと思います」という言葉を引いておきたいと思う。松下の言う「苦痛」は、あらゆる思想が生まれ出ようとするとき、その根底にうごめいているはずの言表不可能なもの、不可能性の言語とでも呼ぶべきものの所在を言い当てていると思われるからである。またそうしたレヴェルで捉えられる真の意味での情況の意味、あるいはそこで成立する不可視の連帯の意味を示しているようにも思える。私はこの言葉から大学闘争の思想性のもっとも深い部分が浮かび上がってくるのを感じる。もう一点大学闘争をトレースする『情況』の行跡のなかから三人の優れた思想家が生まれたことを記しておきたい。いずれも東大闘争に参加した山本義隆、最首悟、長崎浩である。後に山本は科学思想史の領域で優れた業績を残し、最首は水俣の運動に深く関わる中から生命をめぐる独自な思想を育み、長崎は六八年の思想の凝縮というべき『叛乱論』(合同出版)で注目された後も、革命思想の根底を問う仕事をずっと持続的に行ってきた。いずれも東大闘争なしにはうまれえなかったものといえよう。

もう一つ第一期『情況』で忘れることが出来ないのが七三年五月号「連合赤軍の軌跡」である。前年の二月に起きた浅間山荘銃撃戦とそれに続いて明らかになった同志リンチ粛清は衰退期を迎えつつあった大衆レヴェルの日本新左翼運動の息の根を止める出来事となった。その衝撃は計り知れないものがあったが、マルクス＝レーニン主義(スターリン主義)の残虐な体質と権力性を批判するところから始まったはずの新左翼運動が自らの内部から同じ残虐さを生み出してしまったという痛苦なパラドックスが我々を打ちのめしたのであった。それから一年後に出たこの特集は、声高な批判や罵倒を抑え極めて冷静に、生き残った当事者たちの書簡や発言を中心にしながら連合赤軍問題とは何であったのかを追求している。第一期『情況』の重要なドキュメントの一つと言えよう。

この七三年を期に『情況』誌面の力点は実践的なものから思想的、理論的なものへと移っていったように思われる。もちろん東アジア反日武装戦線問題や、革共同両派の凄惨な内ゲバの問題、三里塚空港反対闘争の最終局面、特に開港直前の管制塔占拠と空港突入闘争の衝撃など現実の運動にかかわる問題へのコミットはあったにせよ、やはり『情況』の内容は明らかに思想誌風に変わっていったといってよいだろう。それには、あるいは『現代思想』（青土社）が七三年に創刊された影響もあるかもしれない。こうした面での『情況』を第一期において代表しているのが、七五年一一月臨時増刊号「現象学特集」と終刊号ともなった七六年一一月臨時増刊号「ヘーゲル」である。両方とも『情況』の持てる力をすべて傾注した日本の現象学研究史においてもヘーゲル研究史においても記念すべき雄編となっている。

＊

まだまだ触れたいこと、触れねばならないことはたくさんあるが、そろそろ締めくくりを行わねばならない。今回手許のバックナンバーを中心に第一期『情況』を読みなおしながらまず感じたのは、新左翼のなかにもまだマルクス＝レーニン主義的な硬直した言語体系の呪縛が存在した時代に、『情況』がそれに囚われない極めて自由な表現を模索しえていたことへの驚きである。それは、『情況』があの時代の経験やそこにひそむ感性や精神のあり方を空気のように自然に呼吸しながら自らの表現を紡いでいったからであると思われる。これは極めて貴重なことであった。

もう一つ読み返しながら感じたのは、時代状況と深く関わりつつ同時に原理的な思考を深めていくという、たとえばブロッホやベンヤミンやアドルノがやったような仕事のスタイルが『情況』の目指していたものではなかったかということである。もちろんそれが全面的に成功したというつもりはない。そもそも『情況』に執筆した多くの著者のなかにはいろいろなタイプの人間がいたし、なかにはどうしようもないほど頑迷固陋な人間もまじっているからである。だが対馬斉や柄谷行人、長崎浩、そして何よりも廣松渉のような、『情況』というメディアが存在したからこそ深く時代へと突き刺さる勁い思想言語を創造しえた著者たちが数多くいたのも事実である。その中には今忘れられてしまった人たちもいるが、その光芒は決して色あせることはないと思う。なお古賀をはじめ、二代目編集長大下敦史（故人）、三代目編集長横山茂彦、さらには合澤清、天野恵一、中澤教輔、菅原秀宣、近藤伸郎等々、困難な時代にあって『情況』の刊行を維持し続けた編集部メンバーに対し心からの感謝の気持ちを伝えたいと思う。

【高橋　順一（たかはし・じゅんいち）】
一九五〇年生まれ。一九六八年当時、高校三年生（私立武蔵高校）で運動に参加した。立教大学卒。早稲田大学名誉教授。著書に『市民社会の弁証法』（弘文堂）『ヴァルター・ベンヤミン　近代の星座』（講談社現代新書）『響きと思考のあいだ　リヒャルト・ヴァーグナーと一九世紀近代』（青弓社）『ヴァルター・ベンヤミン解読』『吉本隆明と親鸞』『吉本隆明と共同幻想』（社会評論社）『ニーチェ事典』（編著書　弘文堂）など、訳書にベンヤミン『パサージュ論』（共訳　岩波文庫）アドルノ『ヴァーグナー試論』（作品社）がある。『情況』には第二期から参加し編集委員となる。一九九〇年代の数年はほぼ毎号論文と巻頭言を執筆した。

回想1

ドブネズミたちの時代――『情況』とは何だったか

古賀　暹

はじめに

「フランスの激動、ラテンアメリカの動き、そして血を流して闘っているベトナム人民の闘いと運動は前進を遂げている。だが、それらの闘いは、未だ、一つの潮流として自己を表現していないばかりか、まとまった思想としても世界観としても、熟し切っているとはいえない。（中略）われわれの課題は、この混乱と粗暴さを一つの精緻な、革命的・情熱的な思想へと発展させていくことである」。

これは、創刊号で私が記したアピールの一節である。今、当時の私が、どうやって、混乱と粗暴さの中にある思想を「革命的・情熱的な思想へと発展」させようとしていたのか、を思い出したくてアピールを読み返してみたところだ。

さまざまな小セクトの対立していた当時の日本を踏まえて、各セクトのイデオロギーや、また、「既成のマルクス主義に対してあれやこれやの批判」によってではそのことは達成できないと述べた後で、次のように言う。「それは、もっと、人間の本質的なところで、われわれにとって革命とは何かを、ジャンルを超えた形で提出しあい、深めていく過程」の中においてこそ達成できると。ここでいうジャンルとは、もちろん、政治（学）、経済（学）などの議論のみに限定されるものではなく、「文学、芸術をふくめたあらゆるジャンルの人々が『変革を志向する』というただ一点で結合し、それぞれのジャンルにおける『革命』への道を突き進む」過程の中でしか生み出されないと。つまり、その媒介としての役割を『情況』が果たそうというのだ。

一つのジャンルにおける「革命」が他のジャンルに響き渡るアンサンブルでなければならないということなのだろう。だから、編集主体もその過程の中になければならない。「編集者とは、その雑誌によって絶えず自己自身が成長しなければならない」。こうした意味で、私たちは『情況』を「変革のための総合誌」と謳ったのだし、同人誌ではなく、商業誌という形態を選んだのだ。

最近、僕のところに訪ねて来てくれる人たちに、「読者は学生たちですよね」と念を押されたりするとビックリする。「そうじゃないんだ」と。当時を思いだしつつ、今の僕も抗う。「全世界を獲得する」ことを願った者がその対象を「学生」などに限定するはずがないし、「同人誌」などという狭いサークルに満足するはずもない。雑誌の対象は理念的には、全世界であり、それ自身が過程なのだ。

だが、それは、可能だろうか。少ない資金で、雑誌などほとんど手がけたことのない素人の手で、商業的にも採算がとれるようにする、しかも、なるべく安価な値段で提供しようとする。それゆえ、編集後記では、何回か「三号雑誌」になるかもしれないという不安が綴られている。あの頃の不安を思い出す。それは不可能と思われることに挑戦しようとすることによって生み出された不安だ。しかし、今でも不可能なことを可能にしようというところに運動があるとは思い続けている。たしかに、当時、時代は走っていた。編集者の僕たちも走っていた。

廣松渉に押し出されて

具体的な話に移ろう。ここで、まず、はじめに挙げなければならないのは、廣松渉さんと私の関係である（大哲学者であるから、私は、当然、廣松先生と書くべきなのかもしれないが、彼の弟子でも、また、彼の哲学をきちんと習い自己のものとした者でもないので資格がない。それで「廣松さん」と書くことにする）。

『情況』の創刊は六八年の八月号であるが、それに先立つ約一年前に、私は、御茶ノ水駅前の喫茶店「ミロ」の二階で彼と話をしていた。夏の蒸し暑い日で、ガンガンとクーラーが効いていた。その二階には客が誰もいなかった。世間話が一段落したところで、彼がいきなり、白いワイシャツのボタンをはずし脱ぎだしたのだ。そうすると腹には晒が巻いてあった。私はびっくりした。まさか、その晒の中から短刀が出てくるとは思わなかったが。彼は、中から白い封筒を取り出してテーブルの上に置き、おもむろに、ワイシャツを着なおし、「前に会った時に、話していた雑誌の件はどうなりました」という。

私は、わけのわからないまま、「あんなものは冗談ですよ。第一、金がかかりますしね」と答えたのだが、その瞬間に廣松さんは「これでは足りないだろうが、その一部と思って持って来たんだ。受け取ってくれ」とその封筒を差し出してきた。しかし、まだ、計画も立てられていなかったし、本気で出版社を設立する気もなかった私にそれを受け取れるはずがない。「やる気になった時にお願いしますから、それは、後にしてください」と答えるほかはなかった。だが、彼は、引っ込めようとはしないばかりか、まるで、やくざ者のようにいう。「古賀君、男がいったん出したものを引っ込めるわけにはいかない。とにかく、この金を飲むなり食うなりしてもかまわないから受け取ってくれ」という。そうした問答の末に、私はその一センチほどの札束（一〇〇万）の入った封筒を受け取ることになったのである。封筒の束は汗でしっとりとぬれていた。

これが『情況』の出発点である。まるで、小説か映画の場面にあるような話である。このことを後になって廣松夫人に話したところ、「嘘でしょう、一〇〇万なんていうお金が、どう考えてもあるわけがない、五〇万でしょう」と言われた。が、あの時の金が五〇万であるわけがない。もっともなことだ。確かに、当時「講師」でしかなかった廣松さんが出せる金額ではなかった。多分、なけなしのヘソクリだから大事に晒に巻いて持ってきてくれたのだろう。

こんなエピソードを記してしまったからには、どうしても、ここに至るまでの廣松さんと私の「間柄」について書かなければならなくなる。

廣松さんと最初に知り合ったのは、私が大学二年（一九六〇年）の冬だったと記憶している。当時、「東大新聞」に入社していた私は、全学連の主流派を支持していて、その崩壊を、非常に残念だと感じていた。そこで、吉本隆明さんのところに足を運び、原稿を依頼し続けていた。そんな時期に廣松さんが東大新聞社に「学生運動の軌跡」と題された原稿をもって現れたのである。当時の活動家の制服ともいうべき鼠色のレインコートを羽織っていた。第一感は、こういう人は、危険な「アカ」だからなるべく近づかない方が身のためであると考え、上の空で、「読んでおきます」と答えた。だが、彼は、強引に、大学構内にあった「アートコーヒー」へと私を誘った。

「古賀君、ところで、人間とはなんだと思いますか」といきなり、切り出してきたのだ。いきなりの質問に、私は、驚いて、「関係の総体じゃないですか？　と、マルクスが言っていますが」と答えた。もちろん、このマルクスの言葉は、個々人について言っているのではなく人間というもの全体について言っているのだということなど考えもしなかった。ただ、現在の自分が、その家族や他の人々との関係の中であがいていると感じていただけだった。しかし、廣松さんは大きくうなずき「君もそう思いますか」としきりに感心していた（ふりかもしれない）のを思いだす。

その時を契機として、私の活動家としての人生が始まった。別に、彼からは理論的、思想的にオルグされたわけではない。ただ、私の活動を裏から支えてくれていた。また困ったときの相談役でもあった。ある人は私を彼の「弟子」だと言い、「子分」だというが、そのどちらでもない。勝手に動き回る孫悟空と三蔵法師との関係というのが一番ぴったりする。その悟空は、ブント再建を目指す東京社学同のメンバーの一人となり、さらには、明治大学を拠点に独立社学同を結成し、その後、全学連の再建や第二次ブントの結成に尽力したが、明大闘争の敗北の責任者として、そのブントから放逐されていた（社会運動史研究2巻（新曜社）の松井隆志氏のインタヴュー参照）。

だから、そのブントから追い出されてしまった私には、知り合いの活動家は、ほとんど、誰もいなくなった。その中で、多少とも話をしてくれた活動家といえば、東中野の福岡軍司の下宿に集まる高橋茂夫とその友人の中澤教輔の三人だけだった。彼らは、追放された僕を慰めるつもりだったかもしれないが、言葉はなく、黙々とトランプの一人遊びをやっているだけである。私は、そんなときに、「雑誌でも出してみるか」とつぶやいた。言葉を、一度、漏らすと、夢だと考えながらも独り歩きする。廣松さんが、あの「雑誌」はといったのは、こんな重苦しい状態の中で思いついた言葉の延長にある。

『情況』とはなにかといわれた場合、こういう私の事情も含めて了解して欲しい。だが、こうした個的な事情は、大きく見れば、当時の国際社会構造の動揺に連動していた。ソヴィエトロシアの崩壊、スターリン主義批判の波が全世界を覆い、新たな革命的な思想が世界的に求められていたという状況だ。隣国では文化大革命が開始され、ベトナムでは超大国アメリカに対する戦いが推し進められ、東欧においては、チトーを中心とする「人間の顔をした社会主義」が云々されていたし、ドイツやフランスでは、フランクフルトシューレなどと連動して五月に向かう運動へのエネルギーも、その頃、蓄積されつつあったのだ。

日本の第一次ブントも、振り返ってみれば、そうした中における一つの思想的、実践的な運動であった。その継承者として出発した二次ブントもその実践を受け継いだ一部分であり、他のブント系ML派やマル戦派もそうだ。また、戦線を一時的に退いたがその志を失っていない一次ブントの先輩たち、革共同系や構造改革派の人たちだってその中に入る。宇野派の経済学者だって、廣松さんのような哲学者だって、中国の文化大革命派を支持する人たちだっている。

それらの人々を打って一丸とすれば、何かができるかもしれない。それらの人々を一つの運動へと結集させることなど無理な相談だが、「雑誌」を作り、せめて、そうした思潮が存在するということを社会に突き出すことぐらいならできるかもしれない。そうした中で、わたくしも自らを鍛え上げ、激動する世界に対して立ち向かうすべを学べるだろう。筆者の熱意が読者を打ち、新しい世界を切り開けるかもしれない。啓蒙や宣伝をするものではない。世界も私たちも追い詰められている。それへの反撃を、自分の心の奥底を言葉で表し、社会へも波及させていけるかもしれない。

『情況』というタイトルにはこの思いをこめた。普通は「状況」と書くところに「情」を持ってきた。状況という漢字では、世界は単なる対象としての外界でしかない。他者は自分の外にある外界ではない。自分が含まれ、その中で苦闘を続けている自分と世界のありようなのだ。だから『情況』とした。このネーミングには、学生時代に東大新聞の記者として接触した吉本隆明の影響が多分にあった。

ドブネズミたち

創刊号の表紙にも目を向けてほしい。表紙を飾ったのは秋山法子さんという私よりも三、四歳年上の若い装丁家の作品であった（評論家の秋山駿さんの夫人であったが、そんなことは知らずに、大和書房に腰かけていたころ、仕事の関係で知り合っていた人である）。はた目には、デザインとしてはおかしく映ったかもしれないが、私は気に入った。怪物のような顔が大きな口を開けている。私たちのことを象徴しているようだ。彼女の眼にはわれわれはそう映ったのだろう。

それはそうだ。編集部と称する男性たちといえば、あの東中野の下宿グループの茂ちゃんと教ちゃんしかいない。この三人とも雑誌などを作ったことがない活動家あがりだ。デザイン担当の秋山さんだって単行本のデザイナーではあったが、月刊誌ははじめてだし、それに、私の妻になった佳子も加わってくれたが、彼女も単行本の経験があるが雑誌などは作ったことがない。だから、法子さんの目から見れば、このグループは口を大きく開けて、訴えることだけがある異様な人種に見えたに違いない。そんな編集部であったが、三一書房の柴田勝紀さんなどの協力を得てようやく創刊号を出すことができた。だが、これでよいのだと思想的にも確信が持てたのは、その創刊号から東大安田落城にいたるまでの六冊であろう。そこには、それ以後の『情況』の思想的な原点と呼べるべきものが次第に形を成してきたのだ。しかし、その六冊全号に触れられるわけにはいかないので、ここでは折原浩助教授と秋山駿さんの評論を取り上げてみよう。

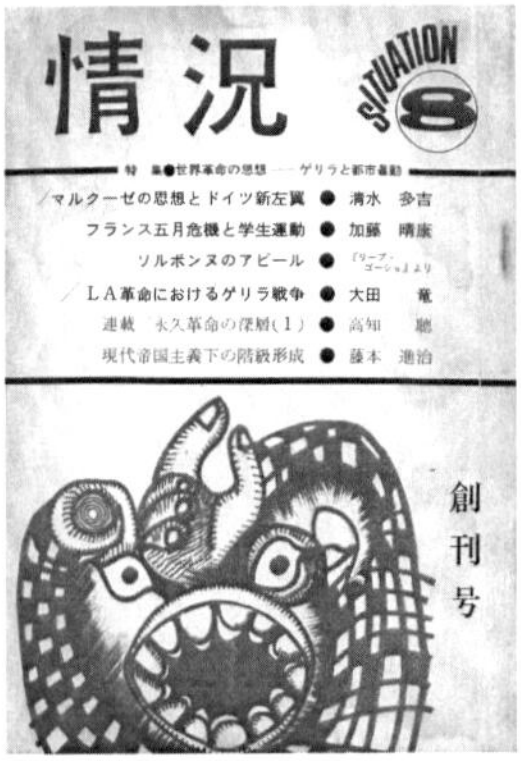

創刊号

最もまじめな学者でありウェーバーの研究者である折原浩助教授の論文（六八年一一月号）から私は衝撃を受けた。折原さんが、学生を「パーリア（paria）・インテリゲンチャ」と呼んでいたことが衝撃だった。校正の際に、「パーリア」というのを誤植し、「バーリア」（baria）としてしまったが、これは、わたくしなりに野蛮人を意味するバーバリアン（Barbarei）から派生した言葉だと思いこんでしまったことが遠因だ。この私の無知はさておいて、折原さんの「学生そのもの」についての指摘を見ることにしよう。

折原浩さんは、学問や大学の進化のためには、それらの外部が不可欠だとする。つまり、学問や大学は専門化を遂げようとするために、その伝統や因習にとらわれてしまう。だから、常に、外部からの刺激が必要となる。学生は、その因習や制度に対しては無知であるがゆえに、別のものを持ち込んでくるという。

つまり、学生は、大学の因習や慣行に対して「無権利状態」にあり、「因習や制度や慣行にたいして、外から、新たに接触し、それらを問題化、対象化しやすい有利な世代的〈位置価〉に恵まれ」ているとする。この学生の存在は、歴史的に考えれば、ウェーバーのいう支配的な民族の文化に対する少数民族（パーリア人、西欧社会におけるユダヤ人やインドにおける少数民族）の存在と類似している。ウェーバーはこのパーリア人を切り捨てるのではなく、彼等との接点が学問研究の刷新のために重要だとしていたと折原さんは続けている。学問は、異種のものに接触することによって、自らの学問の欠陥を知り、より普遍的なものをめざすことが可能になるという。

だから、自らの学問や慣習を絶対化して、それを「学生対策的」に押し付けるのではなく、「パーリア・インテリゲンチャ」をそのものとして理解することによって学問を普遍化していかねばならないというのだ。平たく言えば、教えることとは、教えられることでもあると彼は言いたかったのだろう。これが「学園闘争」に対する折原さんの視点だった。

ここで、大学の外部から、東大の安田講堂の籠城事件を見ていた文芸評論家の秋山駿さんは何を考えていたかを引き合いに出そう。彼は、テレビ中継で、この事件を見ていた。『情況』に寄せられた「廃墟――それがはじまりである」

（六九年三月号）という一文である。

「破壊された石塊が飛ぶ。また飛ぶ。当って砕けるために飛ぶ。石塊であるために飛ぶ。この光景をリードしているものは石塊だ。（中略）私は自分の思いが、この場面に奇妙に連続しているように思った」「いま見る塔の上の彼等は、そういう公定の値段付きの言葉に代えて、ただもう破壊された石塊を投げていた。彼等は、いまや、出来合いの正しい言葉などを去って、（中略）この石ころの存在のような鋭い言葉を、心に要求していたのであろうか。そうだ、彼等は戦っているのだ。それに対抗するためにはまず自分の身を石ころと化さなければならぬ或るものと、戦っているのだ、と私は思った」。

私は今、彼の全文を引用することができないが、これほど、あの戦いの情景をリアルに描き出したものもそれほど多くはない。是非、一読していただきたいと思う。

塔の上から石を投げ続ける全共闘の学生の戦うありさまを、「間断なく、水を浴びせられ、頭の上からドラム缶一杯の催涙ガスの粉や液体をかけられて、彼等はまるでドブネズミのようであった」と記し、そのうえで、この「ドブネズミの戦い」を見ながら、突然に「自分の内部に深く隠してしまった一片の氷結したもの」がほんのすこし解けてくるような思いがしたという。

ここで言う「公定の値段付きの言葉」とは「因習や慣行」であり、ドブネズミとは、学生やパーリア人であり、「自分の内部に深く隠してしまった一片の氷結したもの」とは、折原さんの言葉で言えば、因習や慣行によって抑圧され続けてきたものということになるのだろう。

この二つの論文を読んで――いや、他の論文も含めて、私たち編集部が、漠然と考えていた「変革のための総合誌」と銘打った『情況』や自分たち自身のイメージが次第に固まっていったのだ。一言で言えば「われわれもドブネズミ」なのだということだ。現実世界において、安田のドブネズミたちが、ペーヴメント（秩序）を破壊して石塊を投げつけたように、「公定の値段付き」の変革思想というペーヴメントを破壊して、秋山さんの言う「深く隠し持った氷結したもの」を解凍することが、私たちのやるべきことだということだ。

そう、私たち編集部も「パーリア・インテリゲンチャ」であり「ドブネズミ」であったのだ。論文を依頼するのは、出来合いの正しい言葉で紙面を飾ることではなく、「公定の値段」を突き崩そうとしたのだ。

共同主観性論と『情況』

この文脈で、ドブネズミたちを、雑誌の編集に駆りたてた廣松渉について記しておかねばならない。彼が「疎外論から物象化論へ」を書き、初期マルクスから後期マルクスへの移行を問題とし始めたのは六三、四年のことだった。二つの壁が彼の前にふさがっていた。一つはスターリン主義的な生産力史観といわれるもの、もう一つは、それへの批判として登場していた人間の顔をした共産主義をもとめる潮流の中に存在する疎外論的傾向であった。人間とは何なのか。人間なるものの本質を仮定して話を進めることができるのか。これが根本的問いであったと言える。

廣松は、マルクス・エンゲルスの『ドイツ・イデオロギー』研究のなかから、人間的なるものという概念の虚妄さを暴きおこし、生産力史観でも疎外論でもない関係的な世界観を探り出そうとしていた。それと関係しつつ哲学における道を切り開いたのは、六九年二月に『思想』に掲載された「世界の共同主観的存在構造」という論文だった。これが執筆されたのは、『情況』の創刊から安田籠城に至る四、五ヶ月の間のことである。

廣松さんは、牛をワンワンという子供を前にして、それを犬であるとどうして父親は説明することができるのかという問題を立てる。「牛がワンワンとしてあるのは子供にたいしてであって私にとってではない」。したがって、私が子供を理解できる限りでの私は、子供に成り代わっている私であって、私としての私ではない。だから、その誤りを正せる私とは、「子供としての私」と「私としての私」の自己分裂的自己統一ともいうべき事態なのだという。これを、「として構造」論や四肢的構造論と言われる廣松哲学の出発点だと私は考えている。

それはともかく、この『思想』論文の発表に先駆けて、六八年の秋に廣松さんから電話がかかってきたのを覚えている。「古賀君、何人かの学生を連れてこの研究会に来てほしい」。

廣松さんとの交際の中で、研究会への誘いを受けたのは数えるほどしかないが、まして「学生を連れてこい」などと言われたのは、これが初めてであり、その後にもなかったことだ。この時は、マルクス主義の話か、全共闘運動の話か、いずれにせよ「政治」に関係することだと思った。

会場に指定された本郷の学士会館に、知り合いの明大の学生四、五人の仲間を連れて行ってみると、会場には、清水多吉さんや西田照見さんなどの若手の哲学者や研究者が集まっているではないか。私は、多少、場違いかとも感じたが、マルクス主義の話をするものだと疑ってもみなかった。あにはからんや、フッサールやカントやヘーゲルの名がでてきて、哲学の素養も教養もない私たちは、ただポカンとして聞いていただけだった。

ところが、七二年になって、『世界の共同主観的存在構造』（勁草書房）が上梓されたときに至ってはじめて、あの「ワンワン」の話が重大だったことに気づいた。あの時の発表は、廣松さんにとっては、『マルクス主義の成立過程』（至誠堂）などへの研究に並ぶ、いや、それ以上のことだったかもしれないということだ。

まず、確固とした主体としての人間なるものがあり、その外部の客体としてのものがある、という近代哲学では自明とされているペーヴメントを根底から引きはがそうという大企画への一歩だったのだ。なんらかの物体Xが牛として現れるのは、ある文化圏に属する人としてのYなのであって、牛なるものが予め存在しているわけではないと廣松哲学は説く。しかしながら、近代哲学の主客図式の認識論では、人間の外に、牛なる実体が存在し、それを人間が牛として認識すると考えてしまう。この転倒を廣松は物象化的錯視と名付ける。

この転倒の根拠は先の物体Xを「ワンワン」としてとらえる子供の「誤り」を了解できる父親の「自己分裂的自己統一」によってであり、子供が自己の認識の「誤り」を了解できるようになるのもこの同じ「自己分裂的自己統一」ということになる。認識とは、こうした物象化の錯視の連鎖であり、実体Xの正体とは不可知であるということになる。

強引極まりないことだが、今ここで、廣松渉、折原さん、秋山さんの三者の話を結び付けてみよう。

折原さんの「パーリア・インテリゲンチャ」を理解することとは、牛をワンワンと呼ぶ子供を理解しようとする親が行う「自己分裂的自己統一」ということなのであり、人間の最も原初的なこと、したがって、学問に欠くことができないものであることを示すものだ。また、秋山さんの「ドブネズミのような人間たち」は、「公定の値段付きの言語」の正札を引きはがし、その底にあるものを見つめようとする文学の一環なのであろう。

どうも、私は一知半解なことを言い過ぎたようだ。私の言いたかったのは、六〇年代から七〇年代前半の時期は、それぞれの人々がそれぞれの方法によって、時代の隙間を拡大しようとしていた「ドブネズミ」の時代であったということだ。この時代には、コンクリートやレンガで舗装されたペーヴメントを引きはがし、その隙間をこじ開けようとしていた人々が大勢いた。

そうしたインテリたちを、まず、先に挙げれば、大学院に通っていた日本では第一次ブント（ゼンガクレン）の残党たちであり、トロツキストと呼ばれた対島忠行さんたちであり、海外の中国文化大革命の影響を受けた新島淳良さんたちであり、フランスやドイツではアメリカとソ連の間に挟まれ、ファシズムの凶暴さに追い詰められながら革命の理念を捨てなかったフランクフルトシューレであり、その流れを汲んだ清水多吉や片岡啓治、船戸満之のグループであり、さらには、一次ブントに多大な影響を与えた宇野弘蔵老先生を中心とする宇野派の面々や林光、福田善之、寺山修司、秋山駿たちの芸術家グループなど、列挙すればかぎりがない。

もちろん、石を投げ、火炎瓶を用いて戦った主力である実践部隊を忘れてはならない。二次ブントやマル戦、ＭＬ、中核、解放派、構改、革マルにいたるまでの新左翼諸党派もこの中に入るし、ノンセクトといわれる人々、三里塚の農民、労働者。これらも挙げればきりがない。

こういう人々が『情況』だったし、ぼくら編集部も、また、それだった。だが、こういった諸潮流なり、諸見解を平板にまとめることなどできはしない。なぜなら、それぞれの人たちが、それぞれの仕方でペーブメントに穴をあけて石塊にしようとしていたのだから。だから、もし、そんなことをしようとすれば、日本共産党や社会党得意の平板な「統一戦線」にしかならず、それは、秩序＝ペーヴメントの再建の一端を担うことにしかならない。

われわれ編集部が、意識せずして行ったことは、この火玉としてしか言いようのない、それぞれの「志」をぶつけ合わせることだった。その火玉がぶつかり合えば、さらに、大きく火玉が燃え上がるのではないか。先に挙げた、折原さん、秋山さん、廣松さんらの見解は、他者を理解することによって、深く深く、隙間を拡大するということだった。

『情況』の復刻版が出されることになって、是非とも、読み取ってもらいたいことは、この一点に尽きる。この復刻版に掲げられている執筆者索引を見ても直ちに了解できるだろうが、有名、無名、活動家、研究者を問わず、すべての人が時代状況の中でそれぞれの地点で、自分の地平を深く、そして、広げようとしている。互いの火玉をぶつけあっている。おそらく、こんな時代は日本の歴史の中で稀だったのではないだろうか。だが、蛇足ながら付け加えたいのは、その火玉はいつの時代にも存在しているということだ。

【古賀　暹（こが・のぼる）】

一九四〇年生まれ。一九五九年東京大学入学、東京大学新聞社の編集部員として六〇年安保闘争を経験。第一次ブントの崩壊後、社会主義学生同盟の再結成に尽力し、憲法公聴会阻止闘争、大学管理法反対闘争に参加。一九六八年六月情況社を設立、『情況』編集長。一九七六年同誌休刊後、ドイツ留学。ミュンヘン、ボン、フランクフルトにて政治学を学ぶ。一九八六年帰国。河合塾名古屋校講師、一九九〇年情況出版社を再建、同編集長、二〇〇〇年退社。著書に『北一輝　革命思想として読む』（御茶の水書房）、共訳書にアレックス・デミロヴィッチ『民主主義と支配』（御茶の水書房）などがある。

回想2

『情況』第二期から第五期に関する小話

菅原秀宣

この度、不二出版から『情況』第一期が復刻されるということで、実に喜ばしい。などと紋切型なことを述べてみたが、本当のところはこの壮挙が喜ばしいのか忌まわしいのか、実のところさっぱりわからない。

『情況』第一期は一九六八年に創刊され、一九七六年に休刊している。僕の生年が一九六七年なので『情況』とほぼ誕生が同時期なのだが、であればこそ『情況』第一期など同時代的に読んでいるはずもなく、それらにじっくり目を通すことになるのは、『情況』の復刊（＝第五期）を古賀暹さんたちから託された後になる。不二出版からは解説をとのご依頼をいただいているが、第一期『情況』の解説などできようはずもない。

二〇一八年の一月に、創刊者古賀さんの経営・編集の後継を務めた大下敦史さんが、癌との長き闘病の末に亡くなった。そこで『情況』誌の経営・編集の後継主体が途絶した。当時の『情況』の後見人であったところの、古賀暹さん、新開純也さん、表三郎さんの三名から僕が後事を託された。それで現在『情況』第五期の経営・編集に携わることになり、拙文を寄せる羽目になった次第である。

しかしながらやはり何を書いていいのかわからないので、恥ずかしながら私史と『情況』を絡めたインチキessaiで茶を濁すことを許されたい。エセ・エッセーとはいえ第一期『情況』〝以降〟としての解説の一部くらいにはなるのではないか。

実は第一期の『情況』を、僕が高校生のときに一度目にしたことがある。僕は東北の仙台第一高等学校という学校に通っていたのだが、ここの出版部の部室にたくさんの左翼パンフが散乱していた。その多くは中核派や第四インターの出版物だったと思うが、誰か卒業生が『情況』を入手してそこに置いておいたのだろう。仙台一高はかつて激しく高校闘争が闘われた歴史があり、出版部はその影響を強く受けていた。僕は保守反動の応援団長などやりながら出版部にも顔を出すというようないささか分裂気味な高校生活を過ごしており、出版部室で偶然目にしたのが第一期の『情況』の一冊だったというわけだ。塩川喜信さんの談話かなんかが掲載されていた号だった記憶がうっすらとある。学生運動華やかなりし頃はこんな雑誌も出版されていたんだなあ、くらいの感想しか持たなかった。要するに見過ごし、やり過ごしたというわけだ。

当時は「ニューアカブーム」なるものが起こりかけていて、構造主義だ、ポスト構造主義だと東京あたりの知識人の間でかまびすしく語られていたのを僕は遠目に眺めていた。それがいったい何のことなのか、どういう意味があるのか、なぜ熱く語られるのか、田舎の高校生にはさっぱりよくわからなかった。フロイトやマルクスがさっぱりわからないのにラカンやアルチュセールがわかるわけもないと今なら思うのだが、当時は何がわからないかがわからないという有様だったので、とにかく東京に出れば何かわかるのではないかというエポケー、判断留保に逃げることにした。

その後大学に進学せず就職などしてみたがやはり大学へ行こうと翻意して、一九八八年に東京大学文科Ⅰ類に潜り込むことができたので、当時学内にあった駒場寮という学寮に寄宿することにした。同期の仙台二高で応援団副団長と生徒会長をやっていた赤堀次郎君という友人が現役で東大理科に入学しており駒場寮にも住んでいたので、彼の口利きで入寮ができた。

当時の駒場寮は三百人くらいが住んでおり、五分の三くらいがノンポリ、五分の一くらいが日共民青およびシンパ、五分の一くらいがノンセクト左派みたいな割合ではなかったろうかと思う。「朱に交われば赤くなる」というが、半分近くが赤絵の具だったわけだから、仙台の高校などの比ではないほどに赤味の強い学寮であったことは間違いない。六〇年代の代々木系と反代々木系の対立の名残なのかどうかわからないが、民青系と独立系はそれなりに対抗して寮委員長選挙を闘っていた。それ以外では概ね協調しているように見えたが、その理由としては、大学当局から強い廃寮攻撃を受けていたからだろう。

大学からの何らかのアクションがあったときに方針を出し切れなければ、民青系であれば党に相談する、党が指導するという段になるのかと思うが、独立系には確固たる後ろ盾がない。そういう状況下で、先述の赤堀君含む一部のノンセクトが元第二次ブントの人たちと接近していった。なぜ元ブントなのかといえば、ブント系は一部を除いては党が無くなってしまっていたから、気安く相談することができたからではないかと思う。当時第二期『情況』を復刊したばかりの古賀さんや、学習塾を経営していた大下さんと、東大駒場寮ノンセクトの一部との結びつきが急速に深くなっていったのが一九九〇年代初頭だった。

僕はといえば、そんな彼らを横目に麻雀ばかり打っていた。ポストモダンに対する理解どころか単位取得すらをほとんど放擲して麻雀に没頭した結果、駒場寮麻雀大会で史上初の二連覇を成し遂げることができたが、実は第二期『情況』(当時月刊)は、年に一、二冊しか読んでいない。デリダやアルチュセールに対する理解はさっさと諦めて、高橋順一さんや、亡くなってしまった小阪修平さんの登場する号などをつまんで読んでいた。当時青土社の『ユリイカ』『現代思想』などもたまに読んでいたが、「新しい社会運動の思想的基軸に〇〇はなりうるか」みたいな視点を執拗に手放そうとしない姿勢が特に『情況』には見えたかに思う。まだこの人たちは運動をあきらめていないんだなと、暑苦しく感じる一方で、不思議な好感を覚えることも少なくなかった。

大学は四年で辞めた。無論麻雀のし過ぎも一因だが、ベルリンの壁が崩壊し、ソビエト連邦が崩壊し、バブルが崩壊する中で、僕の中でも何かが崩壊したのだと思う。学究的興味も、立身出世も、反権力志向すらもどうでもよくなった。後講釈で言えば、ソ連の崩壊は冷戦構造の崩壊で本邦においては五五年体制の終焉、バブルの崩壊は戦後高度経済成長の終焉だった。柄谷行人は、ポストモダニズムとは消費社会へのアイロニカルな肯定だと見做したが、消費社会の狂騒がピークアウトした以上、ニューアカやポストモダンのブームが終わるのも必然だった。しかしそれは今から見るからそう言えるのであって、当時の感覚は違っていた。わからないままにはじまったニューアカ、ポストモダンは、わからないままに、わからない理由で終わったのだった。旧ソ連圏ではマルクス主義の失敗として日々が現象しながら、日本では恐慌という資本主義の失敗が現象していた。何もかもがよくわからなかった。

ブラブラしていて時間だけはあったので、前述の赤堀君に引っ張られる感じで大下さんや古賀さん、元明大ブントの若山宏さんらとたまに酒を飲むようになった。彼らは六八年近辺の学生運動の頃の話をよく語った。架空の戦記物ではない実録ドキュメントであるから、それらの話を聞くのは大変面白かった。なにもかもを空疎に感じがちだった当時の僕にとっては、得体のしれない元気をもらえる貴重な時間でもあった。そのうちなぜ彼らは同じ話を延々とするのだろうということを考えるようになった。彼らは現在ならざる現在を過去の自分たちの行動から想起しようとしているのだろうと見えた。しかし半ばは、現在何をしていいのかわからないから彼らは過去ばかりを語るのだとも見えた。

今何をやったらいいかわからなくなっているという意味では、彼らも僕も大きくは変わらない。そのことは僕を少し落胆させ、大きく勇気づけた。

元ブントの人たちと酒を飲んでいる間に、元叛旗派の三上治さんや、元赤軍派の塩見孝也さん、金廣志さんなどの知遇を得た。彼らの昔話を好んで聞く僕の奇特さが、話を誰かに聞かせたい元ブントの一部の人たちとマッチしたのだと思う。

塩見さんとの接近は、他の元ブントの人たちから大きく不興を被った。

「運動をダメにしたのは塩見なんだ。塩見とは付き合うな」。

それまでいろいろに聞いてきた話を僕の中で総合した結果では、高度経済成長の成果の大衆浸透と学生運動の急進化が相まって、「頑張れ学生さん」といった大衆シンパの剥落の流れが不可逆的になったのが安田講堂以降だったのだろうと思えた。激突自体を否定しようとは今も思えないが、激突戦術一本鎗ではいずれ運動は衰退する宿命だったに違いない。それを「激突が足りない」と逆張りの軍事で乗り切ろうとしたのが塩見さんらであって、しかしその心情を大枠で共有し、あるいは期待や理解を寄せていた党派は当時少なくなかったはずではなかったか。

「塩見さんが運動をダメにしたんじゃなくて、ダメになる運命の運動を無自覚に引き受けてしまったのが塩見さんじゃないんですか?」「お前に何がわかる」。

そんな酒席の言葉のはずみで、翌日から塩見さんの運動の手伝いをすることに決めた。今考えると馬鹿だとしか言えないが、当時の自分はいまだに愛しく思える。

当時の塩見さんはよど号グループから思想的影響を受けていて、民族主義的な共産主義革命を志向していた。それは日本で到底実現できるものだとは思えなかったが、よど号グループの裁判帰国を説得するための訪朝に同行したりした。それは無罪帰国か裁判前提かの見解の違いによって失敗に終わり、ほどなくして塩見さんとも喧嘩別れのようになってしまった。その後よど号グループの子女の帰国運動には微力ながら協力し、全員帰国を勝ち取ることができたのはとてもよかったと今も思う。


塩見さんのグループを離れてほどなくすると古賀さんから話があるといわれた。二〇〇〇年頃のことだったと思う。聞くと、硬派な編集者をやってみないかという。要するにご自身が『情況』を引退するつもりなので、入れ替わりにやってみないかという内容だった。興味はあったが力不足だと思ったので前述の若山さんに相談すると「展望がないから絶対やめろ」と強く止められた。そうこうしているうちに大下さんが『情況』を引き受けたい旨を周囲に公言しはじめて、大下さんが新社長・編集長となって『情況』第三期が始まることになった。

その前後で「君にも是非手伝ってもらいたい」と頻繁に酒席に呼ばれた。

「第三次ブント再建のための機関誌にするつもりなんだ」。

第一次ブントから三派全学連、第二次ブントから全共闘といった運動の系譜の延長では大衆の支持は決して得られないと考えている旨を強く話すと、では党建設のことはいいから『情況』のことでできる範囲で手伝って欲しいといわれたので承諾した。どうすれば売れるようになると思うかと問われたので、六〇年代の活動家の話と学者の話を少なくして、若者の話と今の運動の話をたくさん載せればいいのではないか、運動以外の文化の話も載せるべきだと話した。

それは、元ブントの人たちと数えきれないほど酒を飲んだ折の話の、内容の「特有の偏り」を前提にした見解だった。社会理論の話と運動の昔話で酒飲み話のほとんどを占める。運動の裾野が十分に広ければ、その頂点としての理論、その頂点としての行動が、活字となって広く読まれるのは当然だろう。しかしそのような前提構造がないのであれば、裾野を広くすることから始めなければならないのではないか。運動に参入する敷居を上げず、動機をこそ第一に増やすことだと思う旨の話をした。

「勇ましい話と難しい話はなるべく減らしたらどうでしょうか」。

すると「前衛についてどういう理解をしているかな」と問われた。

「前衛とは裸の王様だと考えています」と答えたら、大下さんはしばらく腕組みをして黙った後に「菅原君は見かけによらず繊細でいいね」と言ってくれた。多分何かがっかりさせたんだろうというほろ苦い気分を今も覚えている。

その後、大下さんからは、企画の相談や、テープ起こしやリライト、若い著者の原稿の査読もどきというような「手伝い」を頻繁にいただいた。あるとき「菅原君、これはいい原稿だと思うけど、今すぐ来て、読んでくれないか」と緊急の呼び出しをもらった。それは若くて無名の時分の白井聡さんの原稿だった。何度か読んで、いい原稿だなと思ったので、その旨を伝えた。その後、白井さんと誌上対談を企画したいが相手とテーマは誰がいいと思うかと尋ねられたことがあり、白井さんがレーニンをテーマにしていたので『はじまりのレーニン』の著者である中沢新一さんがいいんじゃないでしょうかと具申した。何か月かしてそんなことを言ったのも忘れていると、大下さんが「中沢さんからOKがとれたので、対談に立ち会ってまとめてくれ」と連絡がきた。やると決めた時の大下さんは粘り強く企画をものにする。

その後の白井さんの活躍はご存じの通りだ。『未完のレーニン』から『永続敗戦論』『国体論』と、立て続けに人文書でのベストセラーをものにしている。

白井さんの本が話題になるたびに、「今すぐ来て、読んでくれないか」という電話越しの大下さんの声を思い出してしまう。

大下『情況』を手伝いつつ、僕は二〇〇一年に元叛旗派リーダーの三上治さんが社長を務める校正の会社にスカウトされ、校正者として社会復帰をしはじめた。人のアラさがしをするのが得意だったのか、ブラブラしていた時期が長く文章を丹念に読む癖がついたのがよかったのか、校正は僕の性に合っていて仕事が途切れなく入ってくるようになった。あまつさえ新しい仕事の打診の窓口として多くのクライアントが僕を選んでくれるようになったので、二〇〇五年に営業担当の取締役に推挙された。

そちらの仕事が忙しくなってきたので、『情況』の手伝いもあまりできなくなってしまい、大下さんから打診があっても応じられるのは五回に一度くらいになってしまったあたりで、大下さんからの連絡がだいぶ少なくなった。こちらの繁忙を案じてくれていたのだと思う。

その後二〇一一年に僕は独立して校正会社を立ち上げ、最初は苦労したが何とか軌道に乗った。社長業は煩忙を極め、大下さんとは半年に一度くらいのペースでしか会えなくなった。

「『情況』のことはよく白井君に相談してるんだよ」とは会ったときによく話していた。

「それは心強いですね」と答えるのが常だった。インチキな僕より、しっかりした若い知性が大下さんの相談相手には適任だと思ってのことだが、正直なところを言えば、大下さんの第三次ブント再建構想に付き合うのに辟易していた気分が少しは手伝っていたかもしれない。

大下さんに癌が見つかったのは二〇一六年のことだった。

時を前後して、『図書新聞』の経営移譲の話が井出彰さんから僕に持ち込まれてきた。手に余る話だと思ったが、週刊の書評紙がこの世の中からなくなってはいけないと思ったし、また、実は僕の高校生時分、ニューアカやポストモダンっていったいなんだと疑問を持った時に何かの手掛かりになるかと思って『図書新聞』を頻繁に購読していた時期があったので、これも何かの縁か恩返しかと考えて引き受けることにした。

二〇一七年夏に『図書新聞』の発行移管を引き受けたのだが、秋口に大下さんが入院していた埼玉の病院から連絡があって、見舞いに行った。

そこで大下さんから「白井君と菅原君で『情況』を引き継いでくれないか」と打診された。

「僕は『図書新聞』を引き受けてしまい余力がありませんし、白井君はいつまでも『情況』にとどまっている人でもないと思います」と断ってしまった。

大下さんは腕組みをしてしばらく天井を見ていたが、しばらくして「そうか、じゃ、しょうがないな」と苦し気な声で言った。二十年近く前に「前衛についてどういう理解をしているかな」と問われた時のことを思い出した。やはり今回もがっかりさせてしまったなというほろ苦い気分にとらわれた。

今考えれば、どうせ引き受けたのだから、あのとき「わかりました。引き受けます」と言えばよかった、とたびたび思うことがある。

冒頭に記した通り、翌年二〇一八年の年頭に大下さんが亡くなり、古賀さんたちに『情況』の再刊引き受けを打診され、第五期『情況』の経営・編集を引き受けて今に至る。代表が運動経験もない僕では位負けしすぎるので、情況出版の社長は、無理を言って、第一期『情況』のメンバーである中澤教輔さんに引き受けてもらった。

「塩見が運動をダメにした」のかそうでないのかはわからないが、学生運動から民心が決定的に離反したとされる連合赤軍事件の五〇周年は今年二〇二二年の二月だ。

新左翼の理論誌としての『情況』の役目はそこらで終わらせるのが妥当ではないか。

そう思うが、それが正しいのかどうかはよくわからない。

第五期『情況』では、僕の手の届く範囲では勇ましい話と難しい話を極力減らすように心がけた。昔の運動の話ばかりではなく、今の若者の話、今起こっている運動の話をなるべく取り上げるようにした。ただし、それが正しかったのかどうかもさっぱりわからない。

本当にいろいろわからない。わからないことだらけだ。

ただ、変な幻燈機のように、『情況』やらブントやらという影絵が僕の人生の周りをずうっとくるくる廻っているような気がする。第一期『情況』とやらがなければ僕の人生もこのようなものでなかったに違いない。であれば、誰か僕よりずうっと若い誰かの中に、多くの先人たちが見て、しっぽの方で僕ごときもが今見ている『情況』という影絵を、見継いでくれる者はないか?

【菅原 秀宣（すがわら・ひでのぶ）】

一九六七年北海道名寄市生まれ。一九八三年仙台第一高等学校入学。一九八八年東京大学入学。『情況』第三期から編集制作に携わる。『情況』第四期経営・編集主幹大下敦史氏逝去の後、『情況』第五期の経営・編集主幹。現在、株式会社セロメガ代表取締役。武久出版株式会社代表取締役、『図書新聞』経営主幹。

Ⅱ　総目次

『情況』総目次・凡例

一、仮名遣いは原文のままとし、旧字・異体字は一部を除いて通用の字体に改めた。また、明らかな誤植、脱字以外は原文のままとした。

一、表題は本文に従うことを原則としたが、本総目次の利便性を鑑み、目次や表紙の文言を補った場合がある。

一、副題および小題は基本的に――（ダッシュ）のあとに示した。複数の小題や副題が連なる場合もそれぞれを――でつなげた。

一、広告は採録しなかった。

一、各号で編まれた特集記事などについては、特集名を【　】の中に示し、特集に該当する記事は特集名のすぐ後から一字下げの形でひとまとまりになるように示した。従って、本総目次の配列は雑誌の掲載順とは前後している場合がある。

一、特集記事については目次や誌面の他、松井隆志氏作成の「『情況』（第一期）総目次」上・下（大野光明・小杉亮子・松井隆志編『「１９６８」を編みなおす』、同編『メディアがひらく運動史』（『社会運動史研究』２・３、２０２０・２１年、新曜社）所収）を参考に、不二出版編集部が分類を行った。

一、各号の発行日は奥付の日付を採用した。

一、［　］は編集部の補注であることを示す。

一、雑誌の途中で縦書きが横書きの体裁になるなどして、通常とは違う形の頁数が設定されている場合にはページ数に（　）を付した。

一、原本に頁数表記のない場合は、頁数に〔　〕を付した。

（編集部）

創刊号

（一九六八年八月一日発行）

創刊にあたって　「情況」編集部　4
現代帝国主義下の階級形成――都市ゲリラ論　藤本進治　6
【特集・世界革命の思想――ゲリラと都市暴動】
マルクーゼの思想とドイツ新左翼――マルクス主義における「否定」の復権　清水多吉　15
フランス「五月危機」と学生運動――のり越えられた「人民戦線」　加藤晴康　25
ラテン・アメリカ革命におけるゲリラ戦争――カストロ対トロツキストの論争から　太田竜　37
ソルボンヌのアピール　加藤晴康訳　32
1968・6・15日　（T）　46
急進主義と世界革命――スターリン批判の立脚点　浅田光輝　47
座談会　反戦闘争と反帝闘争――70年安保をいかに闘うか
津和生（社会主義労働者同盟）／松本礼二（共産主義者同盟）／森茂（革共同革マル派）／山中明（司会）　59
黒い歌黄いろい歌――ジャズと国民暴動　林光　72
変革と表現と――ゴッタ煮ふうに　福田善之　80
連載　永久革命の深層(1)　高知聰　89
編集後記　（A）　〔100〕

2号

一九六八年九月号

（一九六八年九月一日発行）

【特集I　初期マルクスの評価をめぐって】
マルクスの物象化論　廣松渉　5
マルクス身体論・序――梅本克己との主体性論争を素地にして　田中吉六　22
田中吉六氏の理論戦線復帰に際して　編集部　35
【特集II　ヨーロッパ急進主義】
フランス5月叛乱における権力の問題　海老坂武　39

政治的言語としてのアルチュセール
中村丈夫 48
【ドイツ急進主義者の宣言】
SDSは訴える 清水多吉 56
シュプリンガーコンツェルンを打倒せよ！
SDS委員会、清水多吉訳 58
全国津々浦々で総蹶起せよ!!――SDS議
長カール・ディートリッヒ・ヴォルフの
演説
ヴォルフ（SDS議長）／川尾信夫訳 62
後期資本主義と国際解放闘争
ルーディ・ドチュケ／船戸馨訳 66
対馬忠行革命論批判――レーニンとトロツキー
の永続革命論（序） 小山弘健 74
国際反戦と全学連大会 （T） 86
スターリニズムからトロキズムへ――アメリカ
旧左翼『マンスリーレヴュー』誌の変貌
雪山慶正 88
連載　永久革命の深層(2) 高知聰 100
編集後記 （N） 〔108〕

3号

一九六八年一〇月号
（一九六八年一〇月一日発行）

ゼネスト・バリケード・ソヴィエト・党――ト
ロツキーの見解をめぐって 対馬忠行 5
デスタリニゼーションの文脈――チェコにおけ
る断面 内村剛介 23
東欧人民民主主義の成立――チェコ危機の歴史
的背景 長尾久 32
フランス五月闘争の記録1――『パルチザン』
を中心にして 才木一訳 44
批判大学論(一) 清水多吉編・訳 54
【特集　農民叛乱――成田・砂川の闘い】
カメラは武器たり得るか――インタビュー
「日本解放戦線・三里塚の夏」
小川紳介／仙波輝之（聞き手） 60
超空港論――バァールの神への反逆
戸村一作 69
70年安保と砂川闘争――基地拡張阻止闘争の

現局面　宮岡政雄　87
永久革命の深層(3)　高知聰　97
編集後記　(K)　〔108〕

4号

一九六八年一一月号
(一九六八年一一月一日発行)

叛乱論――アジテーター・大衆・党　長崎浩　5
編集部よりのアジテーション――批判大学とはなにか　(S)　55

【特集　大学の叛乱――批判大学論】

拠点での戦い――インタビュー「日大闘争」田村正敏(日大全学共闘会議書記長)／編集部(聞き手)　57
バリケード封鎖の思想――東大闘争と60年安保の教訓　山本義隆　67
東大の死と再生を求めて――折原浩論文をめぐって　編集部　74
青医連・医学連の闘い――社会的政治的闘争への転換を　石井暎禧(元医学連書記長)　87
批判大学論(二)　清水多吉編・訳　94
暴力論――ローザ・ルクセンブルク　野村修訳　102
1968・10・21　(T)　108
フランス五月闘争の記録2――『パルチザン』より　才木一訳　109
編集後記　(K)　124

5号

一九六八年一二月・六九年一月号(新年号)
(一九六八年一二月一日発行)

コンミューンと管理社会――原始モデルと中世モデル　佐々木光　5

【シンポジウム・文化大革命とコミューンの思想】

都市革命としての文化大革命――毛沢東思想とコミューンの論理　新島淳良　35
討論　毛沢東思想と世界革命――文化革命の本質と意義　新島淳良／太田竜／藤本進治　44
実存主義的マルクス主義者の妄想――科学主

義・人間主義とマルクス　三浦つとむ　54
エンゲルスの復権——サルトル批判を軸にしたスターリン主義批判　山口裕一　63
スパルタクス団68の分裂——ＳＤＡＪとチェコ　清水多吉　77
いったい誰が〝狂犬〟か？——ブラックパワーの宣言
マックス・コンフォート／弥永清美訳　80
変わる歌変わらぬ歌——国歌の死滅についての試論（続・黒い歌黄いろい歌）　林光　85
亀裂の時代——演劇１９６８　菅孝行　95
東大——11月22日　（T）　108
フランス五月闘争の記録３——『パルチザン』を中心にして　才木一訳　109
編集後記　（M）　124

6号

一九六九年二月号
（一九六九年二月一日発行）

五月の敗北（上）——フランス・階級闘争の教訓
トニー・クリフ／イアン・バーチャル／木幡和枝訳　5
【特集　ドル・ポンド・フラン危機と現代帝国主義】
危機に立つ現代帝国主義（一）——戦後帝国主義の経済的世界危機の開始　岩田弘　35
現代資本主義論の基本視点　下条寿郎　42
「世界資本主義」論の虚妄——岩田理論の功罪　大内秀明　58
アメリカ黒人における意識・表現・運動　仙波輝之　73
BLACK・PEOPLE
Leroi Jones（リロイ・ジョーンズ）／ピエール・ロワゾー訳　82
座談会　反大学——日大・東大闘争の理念をめぐって
秋田明大（日大）／佐久間順三（日大）／山本義隆（東大）／清水多吉（立正大講師）／編集部（司会）　86

日大　反大学アッピール　日本大学全学共闘会議反大学創造委員会　102
労組による労組圧殺の記録――合理化攻勢と東交労組　鎌田慧　104
革命者の原像――トマス・ミュンツァーにおける　菅谷規矩雄　113
フランス五月闘争の記録（最終回）　才木一訳　120
編集後記　（P）　〔125〕

7号
一九六九年三月号
（一九六九年三月一日発行）

五月の敗北（下）――フランス階級闘争の教訓　トニー・クリフ／イアン・バーチャル／木幡和枝訳　5
【特集　大学闘争論――東大闘争と大学】
大学共同幻想論　吉本隆明　31
ノンセクト・ラジカルの思想――安保闘争から東大闘争へ　最首悟談（東大全共闘）　39
廃墟――それがはじまりである　秋山駿　48
学園占拠と文化――ハーバーマス批判　清水多吉　54
ナショナリズムの農的側面――詩に仮託された重農主義の上昇と崩壊　松永伍一　62
続「世界資本主義」論の虚妄――岩田理論の功罪　大内秀明　72
史的唯物論と「生活の生産」――黒田哲学を批判する　田中吉六　91
１９６９・２・４　（眼）　110
連載　性活動論（一）　大久保そりや　111
編集後記　（N）　124

8号
一九六九年三月臨時増刊
「叛乱は拡大する」
（一九六九年三月一〇日発行）

対談　近代合理主義を告発する――東大バリケード闘争の思想

山本義隆（東大全共闘）、海老坂武　5
東大闘争——運動の論理
塩川喜信（元全学連委員長、元農学部助手）　15
東大全共闘——この奇妙なる〝生態系〟
村尾行一（東大林学科助手）　29
医局社会における叛乱
金村元（元東大医局員、現精神科医師連合）　38
対談　学生叛乱から総叛乱へ——日大闘争は訴える
秋田明大（日大全共闘）／福田善之（劇作家）　45
【手記】
バリケードとは何か　沢登誠（日大芸術一年）　56
日大全共闘からの出発
渡辺隆之（日大理工四年）　61
不滅の根拠地駒場「第八本館」
菅井秀次（駒場Ⅲ闘委）　65
「反大学」の思想——日大闘争の提起しているもの
清宮誠（教育大助手）／福富節男（農工大教授）　68
日大闘争における革命と反革命
鳥越敏朗（日大経済学部闘争委員長）　75
鼎談　京大闘争と批判大学・反大学——大学闘争の革命的展開のために
小俣昌造（京大全共闘議長＝大学院生）／滝田修（京大全共闘助手）／清水多吉（立正大講師）　82
闘争の底辺から底辺の闘争へ——ノン・セクト、フリー・セクトないしはノン・ポリの諸君に
池田浩士（京都大学教養部教官）　93
立命館方式の成立と破綻
師岡佑行（立命館大学講師）　98
権力を持たない者は空間をもつことができる
——神戸大理学部のシンポジウムから
松下昇（神戸大）　106
【中間総括　新左翼諸潮流と東大・日大闘争——社青同解放派・革マル派・共産同・社労同・統社同・ML同盟・中核派】
闘いの現局面と突破すべき課題はなにか
社青同解放派　112

日共のスト破壊策動と小ブル急進主義者の破産に抗して　島崎有蔵（革マル派）　115
一月激闘を五四運動の地平とせよ　ML同盟東大細胞委員会　119
安田講堂・死守の闘い　共産主義者同盟政治局　123
東大・日大闘争の総点検――今後の学園闘争の課題　社会主義労働者同盟　127
東大闘争の革命的意義を継承し勝利へと領導しうる方針は何か
森原政治（東京都社会主義学生戦線（＝フロント）中央書記局）　131
東大奪還・再占拠をかちとれ　革共同中核派　134
編集後記　（S）　140

9号

一九六九年四月号

（一九六九年四月一日発行）

マルクス主義における人間・社会・国家

スターリン主義からの訣別　廣松渉　5
ルディ・ドゥチュケ／岸哲利・清水多吉共訳　30
学問論（一）　竹内良知　45
大学コンミューンのために　新島淳良　52
「反大学」の思想（続）――ブルジョア学問批判
清宮誠（教育大助手）／福富節男（農工大教授）　61
ブルジョア大学の否定のうえに――筑波移転阻止闘争の目ざすもの
滝村一郎（教育大全学闘）　68
東京教育大からのアピール――研究学園都市構想粉砕のために　松村健（東京教育大全学闘）　76
危機に立つ現代帝国主義（二）――三十年代とフランス五月危機　岩田弘　78
人間になった豹
ゴーディアント・ローラー／クロード・デファルジュ／弥永清美訳　87
叛乱と政治の形成　長崎浩　97

時代の転回と詩人　ルカーチ論の試み（一）　船戸満之　106
性活動論（二）　大久保そりや　112
編集後記　〔125〕

10号
一九六九年五月号
（一九六九年五月一日発行）
未来論と変革論――進歩の拒絶反応　佐々木光　5
コロンビア大学の叛乱――『コロンビア・ステートメント』について　雪山慶正　34
反大学の理念――下からの永続的大学改革のテーゼ・提案
カール・フンボルト／永田次郎訳　48
火にかけた鍋＝沖縄　谷川健一　66
幻想における生――吉本隆明批判　片岡啓治　72
疎外論と唯物史観――テーゼ（一）　実方藤男　91
民同的労働運動の限界を超えて「日本読書新聞闘争」の意味するもの　編集部　109
日本読書新聞労組より読者への緊急アピール　113
性活動論（三）　大久保そりや　115
戯曲「ヴァカンス」の上演について
ヴァカンス上演準備委員会　129
戯曲　ヴァカンス――或る古典的情景の死について（上）　菅孝行　131
編集後記　164

11号
一九六九年六月
（一九六九年六月一日発行）
対談　知性の復権――「職業としての学問」をめぐって　折原浩／清水多吉　5
教官層の精神構造――四・九教養学部長声明批判　折原浩　24
【特集　都市暴動――大学占拠と反戦】
「自己否定の思想」とプロレタリアート――先進国革命の可能性
浅田光輝／竹内芳郎／長崎浩　40

クリュゼレ将軍「市街戦論」について
レーニン／長谷洋子訳 57
70年への思想――4・28沖縄闘争から
編集部（文責石黒英二） 65
日本文化大革命ノート 新島淳良 71
座談会 沖縄「返せ論」を告発する――本土・沖縄の同時解放を
川満信一（沖縄タイムス記者）／安里全勝（沖縄大学自治会副会長）／伊藤博（東京東部青婦協）／中村進（全金東京亜鉛支部）／山中弘（全逓東京貯金支部）／本誌編集部（司会） 90
階級的主体創造のために1 労働者評議会運動の提唱
大崎悟（電通労研、大阪） 99
国鉄軍事輸送の実態――国労の調査レポートより 107
性活動論（四） 大久保そりや 115
戯曲 ヴァカンス――或る古典的情景の死について（下） 菅孝行 129
編集後記 （眼） 164

12号

一九六九年七月号
（一九六九年七月一日発行）

現代における権威と家族
マックス・ホルクハイマー／清水多吉訳 5

【特集 大学を告発する】

「頽廃の園」との絶縁――〃内なる人民なもの〃を原点に 折原浩（東大助教授） 21
再び『教官層の精神構造』について――①坂本「反駁」を論駁する、②倫理学科教官に対する公開質問 折原浩 28
偽りの「反戦・平和」の告発――「わだつみ」像の破壊の意味するもの
師岡佑行（立命館大講師） 36
解体の道はあるか――東外大闘争と教授会
安東次男（東京外大教授） 42
実験における当事者――京大闘争における教師 野村修（京大助教授） 50
学園闘争と言語状況――〈書くこと〉の暴力

性をめざして
天沢退二郎（明治学院大講師） 55
徹夜討論　大学解体
最首悟（東大）／塩川喜信（同）／長崎浩（同）／花崎皋平（北大）／井上清（京大）／滝田修（京大）／新島淳良（早大）／竹内芳郎（国学院大）／清水多吉（立正大）／水田洋（名大）ほか総計一五〇名 59
「大学立法」に関する声明 97
表現運動としてのバリケード――六甲空間における反大学
松下昇（神戸大講師） 99
大学闘争の中における文学――生涯にわたる阿修羅として
高橋和巳（京大教授） 105
大学立法反対・文学部バリケード・ストにあたって――全国の皆様、九大全学、なかにも文科系教職員学友諸兄に訴える
滝沢克己（九大教授） 111
帰らざる光芒の奪還――『私が棄てた女』
仙波輝之 122
暗黒大学＝日大アウシュビィッツから――授業再開とその実体　風倉四郎（日大文理二年） 124
「出入国管理法案」――この帝国主義的排外主義
宇野三郎（国際青年共闘） 129
民主的改革か革命か――ある高校卒業式闘争から
浅川澄子（都立S高前教員） 138
性活動論（五）
大久保そりや 148
編集後記 164

13号

一九六九年八月
（一九六九年八月一日発行）

【特集　世界諸帝国主義の現段階】

世界諸帝国主義の現段階①　六〇年代におけるヨーロッパ資本主義
下条寿郎 5
世界諸帝国主義の現段階②　後進国問題とその基本的意義
永田朝夫 19
世界諸帝国主義の現段階③　現代アメリカ帝国主義と技術革新
岡本柊樹 28
アメリカにおける反体制運動
雪山慶正 49

表現主義論争におけるエルンスト＝ブロッホ
——ゲオルク・ルカーチと対比して　船戸満之　59
解放大学　東京地区設立にむけて——東大闘争の総括と展望
東大全共闘解放大学準備委員会（土方健）　68
科学論　岩井洋　77
転換期に立つ沖縄闘争——復帰のスローガンを捨てよ！　川満信一　97
吉田喜重『エロス＋虐殺』　想像力革命的意志の覇権　仙波輝之　117
現代資本主義と否定の論理（共同研究）
坂口真吾／八代謙　120
性活動論（六）　大久保そりや　133
投稿「若き華僑青年の死」——ある反論　欧明　144
編集後記　（B）　148

14号

一九六九年九・一〇月号
（一九六九年九月一日発行）

階級形成の弁証法——党的〝指導〟と大衆運動
藤本進治　5
マルクス主義における人間・社会・国家（2）
廣松渉　27
【特集　ファシズム論】
ファシズム論（上）
フランツ・ボルケナウ／矢代梓訳　56
イデオロギーとしてのファシズム——「生の哲学と近代合理主義」批判　清水多吉　67
ナチス経済と国家独占資本主義　下条寿郎　80
権力闘争としてのマッセンストライキ——70年安保闘争の課題　松本礼二　95
戦術＝階級形成論の一視点　黒木龍思　104
性活動論（最終回）　大久保そりや　149
編集後記　164

15号

一九六九年一一月号
（一九六九年一一月一日発行）

【特集　60年安保と70年決戦】
反戦青年委と労働組合――ポツダム組合の死と誓約集団　藤田若雄　5
60年安保闘争における若き「前衛」――旧ブント総括と70年への視点　河宮信郎　39
60年ブントのめざしたもの　真樹朗　65
変革期におけるドイツSDSと知識人――クリスチャン・ゼムラーのインタビュー・清水多吉
クリスチャン・ゼムラー（ドイツSDS）／清水多吉　21
階級闘争としての黒人解放闘争――ビッグマン（ブラックパンサー）のインタビュー・富岡倍雄
ビッグマン（ブラックパンサー）／富岡倍雄　29
労働者評議会と70年安保――労働者権力論の視点から　津和生　80
ファシズム論（下）
フランツ・ボルケナウ／矢代梓訳　90
現代資本主義と否定の論理（中）
坂口真吾／八代謙　104
疎外論と唯物史観――テーゼ（二）　実方藤男　115
編集後記　（M）　132

16号
一九六九年一二月号
（一九六九年一二月一日発行）

【特集　10・11月決戦から70年へ】
共同討論　反戦派労働運動と70年代への展望
1――10・21における反戦派
西村卓司（長崎造船社研）／前田裕晤（大阪中電）／中野洋（動労・中核派）／松本礼二（共産同）／藤田若雄（東大教授）／黒田元秀（東大助手共闘）　5
革命運動史におけるブランキの再検討――「おさえてもとまらない」危険な論文（上）　安曇裕志　32
パルチザン前史　京大全共闘〈秋〉のレポート　滝田修　58

ソビエト運動への今日的視点　長尾久　77
【拠点における反戦】
中電マッセンスト――権力闘争の時代における闘争戦術　高浜幸治　88
都職労の闘い――10・21から11・13まで　高田靖（都職労）　100
出版労働者の闘い　本山晃　106
死と理性　片岡啓治　110
反戦派労働運動の課題――一〇・二一闘争から何を学ぶか　白川真澄（共産主義労働者党）　123
希望の原理1
エルンスト・ブロッホ／船戸満之・菅谷規矩雄訳　139
十月革命への挽歌（1）――レーニンの、そしてわれわれの内なるスターリニズム　菊池黒光　150
編集後記　（S）　164

17号

一九七〇年一月号
（一九七〇年一月一日発行）

【特集　70年代闘争への展望】
共同討論　反戦派労働運動と70年代への展望2――70年代闘争と反戦青年委
西村卓司（長崎造船社研）／前田裕晤（大阪中電・全電通大阪電信支部執行委員）／中野洋（動労・千葉気動車区支部委員長）／松本礼二（共産同）／藤田若雄（東大教授）／黒田元秀（東大助手共闘）　5
座談会　怨念と邂逅の組織論　パルチザン軍団と70年闘争――映画『パルチザン前史』から
土本典昭（映画作家）／仙波輝之（映画評論家）／岡田弓彦（美学専攻）　56
希望の原理2
エルンスト・ブロッホ／船戸満之・菅谷規矩雄訳　67

十月革命への挽歌（2）――レーニンの、そしてわれわれの内なるスターリニズム　菊池黒光　77
現代帝国主義論・序説――大内力・岩田両理論批判　山岡健一郎　93
拷問時代の復活を告発する――反戦労働者救対ニュースから　103
資料　ストライキ戦術論　ロゾフスキー　105
死と理性(二)　片岡啓治　133
編集後記　（S）　〔148〕

18号

一九七〇年二・三月号
（一九七〇年三月一日発行）

現代と世界革命のイメージ――マルクスの洞察と歴史的制約　向山景一　5
自然の叛乱　M・ホルクハイマー／岩永達郎訳　53
民主主義とマルクス主義――ロック・ベンサム・ルソーと商品経済　那須宏　76
十月革命への挽歌（3）――レーニンの、そしてわれわれの内なるスターリニズム　菊池黒光　91
イッピーはどこまで行くのか――〃麻薬・自由・気儘〃を掲げた思想と行動　宮原安春　106
希望の原理3
エルンスト・ブロッホ／船戸満之／菅谷規矩雄訳　113
資料　ストライキ戦術論（続）　ロゾフスキー　122
日共論　川村二郎（社会主義科学者集団）　136
座談会　組織論としてのパルチザン
輝峻章／中本浩／滝田修　153
編集後記　（あしたのジョー）　164

19号

一九七〇年四月号
（一九七〇年四月一日発行）

マルクスにおける「疎外」と「物化」――「統一的把握」についての覚書　清水正徳　5

マルクス主義革命論の原像——一八四八年の武装闘争と永続革命論　廣松渉　12
対談　叛乱の原点——軍隊における叛乱と大学における叛乱
小西誠（前自衛隊三曹）／最首悟（東大助手共闘）　37
資料　アンチ・安保　50
日大　真実を隠そうとする者は真実によって必ずや叛逆される!!——中村克己君虐殺事件報告　日大救援会三七九—一八三七　53
ファシズム論のために
クルト・クレィム／ヨールク・カムラー／ルーディゲル・グリーペンブルク／矢代梓訳　55
日本ファシズム論——ファシスト政党の不在とファシズム政体の存在　序説　さらぎ徳地　66
ファシズム論ノート——丸山真男のファシズム論について　浅田光輝　75
資料　ストライキ戦術論（続）　ロゾフスキー　81
ブラックパワーからアメリカ革命へ　宮原安春　90
安保・沖縄・春闘反戦討論集会から　（Q）　101
希望の原理4
エルンスト・ブロッホ／船戸満之／菅谷規矩雄訳　104
十月革命への挽歌（4）——レーニンの、そしてわれわれの内なるスターリニズム
菊池黒光　117
死と理性3　片岡啓治　134
編集後記　（G）　148

20号

一九七〇年五月号
（一九七〇年五月一日発行）

結社と技術——組織論のために　長崎浩　5
本邦初訳論文1　帝国主義衰退期における労働組合——Trade Unions in the Spoch of Imperialist Decay
レオン・トロツキー／浦田伸一訳　25
本邦初訳論文2　共産主義とサンディカリズム
レオン・トロツキー／浦田伸一訳　32

試論・マルクス存在論　対馬斉　41
続・マルクスにおける「疎外」と「物化」――「統一的把握」についての覚書　清水正徳　54
NEP前夜の「労働組合論争」　湯浅赳男　64
中国ソヴィエト論　森川正　78
断章　テーゼのまえに　過渡期とマルクス主義　酒井与七　86
十月革命への挽歌5――レーニンの、そしてわれわれの内なるスターリニズム　菊池黒光　107
資料　レーニンの党組織原則　ヤ・チェルヌイシェフスキー　115
編集後記　（S）　148

21号

一九七〇年六月号

（一九七〇年六月一日発行）

新左翼運動と沖縄闘争――全軍労第三派の〝流産〟と四・二八闘争　川田洋　5
中国革命における党と軍・序説　新島淳良　25
中国の赤色軍事コンミューン（改題）　森川正　41
【グワテマラ武装闘争】
グヮテマラ反乱武装勢力（FAR）の民族的かつ国際的性格にかんする声明　中村丈夫訳　58
グヮテマラ反乱勢力（FAR）司令官セサル・モンテス少佐の声明　中村丈夫訳　66
【特集　ノンセクト・ラディカルの軌跡】
対談　後退のなかの突出――学園闘争を永続化せよ　菅谷規矩雄／大西廣　75
都立大学解放学校　梅本俊　88
69年秋の教訓――既成〝党派〟の克服をめざして――全国全共闘行動委への提言　須田寛　100
頭のいい人は闘えない――正常化と自己否定　寺山光広（東大教養一年）　114
「連帯の旗」を掲げて　新左翼統一戦線への展望　実方藤男　118
試論　レーニン哲学の一視点――《対象的科学から人間的科学へ》　福本昇　127

十月革命への挽歌6——レーニンの、そしてわれわれの内なるスターリニズム　菊池黒光　140
編集後記　（S）　148

22号
一九七〇年七月号
（一九七〇年七月一日発行）

ナロードニキとレーニン　小西善次　5
ラスコリニコフのスターリン弾劾状　内村剛介　20
思想と実践——マルクスにとって実践とは何か　対馬斉　32
労働の幻想性と国家　片岡啓治　39
日本ファシズム論——特殊日本的ファシスト組織運動と日本型政体確立過程　さらぎ徳二　54
コロンビア民族解放軍司令官ファビオ・バスケスとのインタヴュー　革命戦線の形成
マリオ・メネンデス／中村丈夫訳　63
文革論への一視点　八代謙　76
地域闘争パルチザン——学園から地域・職域へ
淡路闘争委員会　87
再び全国全共闘行動委の総括について　須田寛　101
〈告発〉の意味するもの　明大全学評　109
十月革命への挽歌7——レーニンの、そしてわれわれの内なるスターリニズム　菊池黒光　113
編集後記　（N）　132

23号
一九七〇年八月号
（一九七〇年八月一日発行）

ローザ・ルクセンブルグの蓄積論——現代資本主義把握へ向けての宇野経済学方法論批判　向山景一　5
思想と実践㈡——マルクスにとって実践とは何か　対馬斉　23
自然過程論　柄谷行人　30
〈自立〉と近代的自我——70年代思想の端緒はどこにあるか　菅孝行　44
反戦から反ニクソンへ　長田衛　54

ブラジル・都市ゲリラは蜂起する　カルロス・マリゲーヤ　69
〈国家の壁〉に穴をあける闘い（上）――入管行政と在日外国人の基本的人権についてのノート　津村喬編　85
コラム・イエローパンサー　100
現在的闘争拠点構築への指標　八代謙　101
十月革命への挽歌8――レーニンの、そしてわれわれの内なるスターリニズム　菊池黒光　115
編集後記　（P）　132

24号

一九七〇年九月号
（一九七〇年九月一日発行）

世界経済の展開とアメリカの保護貿易――日米繊維戦争を中心として　平松新一　5
黒人運動と革命闘争――連帯はいかにして可能か　編集部　27

【特集　70年代と先進国叛乱の思想】

ブラック・パンサー党の革命戦略　エルドリッジ・クリーヴァー／宮原安春訳　28
ブラック・パンサー党に対する白人諸党派の抽象性について　ジャン・ジュネ／梅谷朗子訳　36
性と権力のメカニズム　K・クレーベルト／西川賢一訳　42
フランス新左翼とMaoイズム――党派闘争の現状―クリヴィヌ発言にふれて　海原峻　56
フィアットにおける叛乱――『ロッタ・コンティヌーア』誌より　62
今月の新刊　（編集部）　68
書評　城塚登著『若きマルクスの思想』　（た）　68
書評　平岡正明著『地獄系24』　（なな）　69
コラム・デ・イエロー・パンサー　71
地域パルチザン批判――ノンセクトラジカルズからラジカルズへ　滝田修　72
〈差別〉に無自覚な革命主体を弾劾する――入管闘争への視座　水戸理　84
実存主義とディアレクティーク――反動ローマ

ン派哲学にいかに対決するか
リュシアン・ゴルドマン著／川俣晃自訳 94
思想と実践㈢――マルクスにとって実践とは何か 対馬斉 104
中国の赤色軍事コンミューン――アジア的共同体と帝国主義 森川正 116
十月革命への挽歌⑨――赤軍はいかに組織されたか 菊池黒光 130
編集後記 144

25号

一九七〇年一〇月号
（一九七〇年一〇月一日発行）

ローザ社会主義思想に於ける陥穽――国際主義の質をめぐって 滝田修 5
ヴィクトール・セルジュ、その生と死 濱田泰三 33
コラム・デ・イエロー・パンサー 41
人民戦争体制と世界革命 細田克彦 42
ベトナム解放戦争の世界性――民族民主主義革命からプロレタリア革命へ 田中佑輔 56
韓国侵略の論理と実態 金井正男 65
ラディカリズムとナショナリズム――〈媒介者〉としての入管闘争の構築へ 津村喬 74
日本人の「あなた」と中国人の「わたし」――無条件在留許可をいますぐ！
劉彩品／劉彩品を守る友人の会編 87
書評　酒井角三郎著『極限の論理』 （N） 107
新刊案内 108
書評　アンリ・ルフェーブル著、白井健三郎訳『ひとつの立場』 （ケ） 108
十月革命への挽歌⑩――ロシア・中国・キューバ革命における党と軍と人民 菊池黒光 110
現代とマルクス主義革命論 対馬忠行 126
編集後記 （S） 155

26号

一九七〇年一一月号
（一九七〇年一一月一日）

【特集　市民社会と階級形成】
マルクス主義における人間・社会・国家Ⅲ　廣松渉　5
平田清明批判――個体性と共同性――キリスト教的マルクシストに対する反キリスト教徒の批判　田川建三　16
六十年代マルクス主義の地平――平田清明・広松渉批判　吉村聖　32
大衆にたいしストイックな〈党〉　長崎浩　47
書評　宮原安春著『俺は熱いぞホットだぞ――花とライフルのアメリカ』　（S）　56
新刊案内　57
コラム・デ・イエロー・パンサー　58
後期資本主義における性的抑圧
ライムート・ライヘ／山崎カオル訳　59
性の叛乱　伊東守男　69
新組合結成宣言――三君処分反対闘争から新組合の結成へ　長崎造船　85
光文社闘争の報告　朝香雄一郎　110
定高＝差別空間の解体へ
全都定時制高校共闘会議　118
十月革命への挽歌⑪――赤軍内証録（上）　菊池黒光　131
編集後記　（S）　147

27号
一九七〇年一二月
（一九七〇年一二月一日発行）

【特集　〈革命〉の神話＝ファシズム】
われらのうちなるファシズム　清水多吉　5
ニヒリズム革命
ヘルマン・ラウシュニンク／片岡啓治訳　17
ドイツ大学の自己主張
ハイデッガー／矢代梓訳　31
政治的なるものの概念
カール・シュミット／清水多吉・矢代梓共訳　41
書評　カール・シュミット著『政治的ロマン主義』
ルカーチ・ジェルジ　68
線をこえて

エルンスト・ユンガー／沢村雅精訳 70
ナチス・イデオローグ列伝 （S） 104
ナチスものがたり 106
アナルコ・ニヒリズムと政治 長崎浩 111
権力への意志――ファシスト・ニーチェ論 船戸満之 124
国家幻想――昭和十年代への考察 菅谷規矩雄 132
ナチスは〈革命〉だったか――擬制としての〈合理主義〉 片岡啓治 139
コラム・デ・イエロー・パンサー 40
新刊案内 108
書評 W・R・バイアー著、岩淵慶一訳『ヘーゲルの全体像』 （T） 108
書評 T・W・アドルノ著、三光長治、市村仁訳『ゾチオロギカ――社会学の弁証法』 （佐伯省一） 109
現代ロマン派経済学批判――向山景一氏の宇野理論批判をめぐって 大内秀明 148
編集後記 （シ） 163

28号

一九七一年一月号
（一九七一年一月一日発行）

【特集 ナショナリズムと共同体】

天皇制共同体論 片岡啓治 5
〈儀式〉としてのナショナリズム――斎藤茂吉の昭和十年代について 梶木剛 21
民族の神話と現実――プロレタリア国際主義序説 玉城素 33
「差別」と「逆差別」 梶村秀樹 42
復帰運動の終焉 松島朝義（沖縄中部地区反戦） 49
逆私小説としての三島自決――主として平岡公威論としてのノート 高知聰 61
スペイン内戦下における知識人――ウナムーノとオルテガ・イ・ガセット ソペーニャ 77
ミュンヘン・レーテからナチス・ヒットラーへ① 清水多吉編訳 85
コンミューン組織論――リヴォリューショナ

リー・ギャングのすすめ
マービン・ガーソン／宮原安春訳 96
コラム・デ・イエロー・パンサー 76
新左翼党派の提言① 新左翼の危機と前途
倉島昇（日本マルクス・レーニン主義者同盟） 103
新刊案内 116
書評 鎌倉孝夫著『日本帝国主義の現段階』（眼） 116
書評 宮内豊編『吉本隆明をどうとらえるか』（片） 117
十月革命への挽歌⑫――緑の叛乱 菊池黒光 119
ジャコバン主義か社会民主主義か――「レーニン党」批判『われわれの政治的任務』より
レオン・トロツキー／森和栞訳 136
編集後記（K） 155

29号

一九七一年二月号
（一九七一年二月一日発行）

【特集 市民社会と国家】
市民社会批判の根柢――流通意識論序説 対馬斉 5
市民社会と国家――完成された国家 浅田光輝 21
平田清明批判 キリスト教と市民社会 田川建三 37
G・ルカーチと歴史的世界の物象化論 吉村聖 51
マックス・シュティルナーの無政府主義 水戸豊夫 63
物象化としての言語――言語学批判への序論 関曠野 74
コラム・デ・イエロー・パンサー 89
思想における〈私有の感覚〉批判――北川透・柄谷行人批判 菅孝行 91
逆私小説としての三島自決（続） 政治的死と「転生」の思想 高知聰 103
破防法――その弾圧の実態 西垣内堅佑（弁護士） 111

新刊案内 119
書評　谷川健一著『沖縄・辺境の時間と空間』
松島朝義（沖縄中部地区反戦） 119
マルクス主義における人間・社会・国家Ⅳ
廣松渉 122
編集後記 156

30号
一九七一年三月号
（一九七一年三月一日発行）

【特集　日本ファシズムの再検討】
converse with　戦後啓蒙主義の崩壊と三〇年代　橋川文三／清水多吉 5
前期ファシズムと大正デモクラシー――吉野作造と中里介山　秋山清 23
二・二六は革命だったか――有馬頼義の『二・二六暗殺の目撃者』に就いて　末松太平 35
昭和維新の思想と行動　西山逸 42
西田税試論　鈴木正節 62
東洋におけるユートピア思想――陽明学左派の哲学　藤堂明保 71
新刊案内 84
書評　岩田弘著『現代国家と革命』（M） 84
書評　菅谷規矩雄他著『われわれにとって自然とはなにか』（T） 85
コラム・デ・イエロー・パンサー 87
現代ロマン派経済学批判〈下〉――向山景一氏の宇野理論批判をめぐって　大内秀明 88
十月革命への挽歌⑬――レーニンの、そしてわれわれの内なるスターリニズム――緑の叛乱（その二）　菊池黒光 105
カール・マルクス論――フォイエルバッハ・テーゼについて――萌芽と基礎
エルンスト・ブロッホ／好村冨士彦訳 118
編集後記　（Z） 155

31号

一九七一年四月

（一九七一年四月一日発行）

【特集　三里塚闘争と沖縄】

地下壕戦とバリケード戦――農村が自分の言葉を持ったとき　島寛征（三里塚青年行動隊）　5

〈対談〉脱〈農民〉闘争としての三里塚――古い共同体と新しい共同体　戸村一作／田川建三　14

〈対談〉三里塚の〈包囲〉と〈逆包囲〉　山口武秀／滝田修　30

〈対談〉沖縄＝国家を越える無限旋律　谷川健一／松島朝義　49

国境・国家・第三次琉球処分　川田洋　64

コラム・デ・イエロー・パンサー　45

新刊案内　46

書評　エルンスト・ブロッホ著、片岡啓治・種村季弘・船戸満之訳『異化』（S）　46

書評　滝田修著『ならず者暴力宣言――滝田修評論集』（翠）　47

【劉道昌君の闘いを断固支持し「新入管法」を粉砕せよ！】

闘争宣言　劉君の闘いを支持する闘争委員会　92

闘争宣言　在日中国人青年共闘会議　94

執筆拒否解除の論理を問う　中央公論社労働組合有志（代表　吉田邦宏）　97

『知識人』のある終焉――『中央公論』執筆拒否解除の周辺　園原俊三　104

市民社会イデオロギーの虚誕〈上〉――流通意識論序説　対馬斉　110

死と理性（完）　片岡啓治　123

女の論理　河野信子　142

編集後記　155

32号

一九七一年五月号

（一九七一年五月一日発行）

【特集　宇野経済学の再検討】
宇野弘蔵氏インタビュー　宇野経済学——その切り開いた道——「原理論」の方法と現状分析
宇野弘蔵／本誌編集部（インタビュー）　5
反スターリン主義運動と宇野理論　大内秀明　20
完結的論理体系の意義——「原理論」の「段階論」に対する関連　鎌倉孝夫　35
宇野理論における　理論・実践・イデオロギー　岩田弘　57
宇野経済学批判——「労働力商品化の矛盾」論を中心として　榎原均　69
労働力商品の特殊性——大内秀明氏への反論　向山景一　87
コラム・デ・イエロー・パンサー　99
新刊案内　100
書評　広河隆一著『ユダヤ・国家とアラブゲリラ』（A）　100
書評　C・L・Rジェームズ著、対馬忠行・塚本圭訳『世界革命——1917〜1936』
座談会　米・日・中のアジア戦略——日中国交回復とベトナム・朝鮮・台湾（M）　101
宮本弘（ベトナム）／細田克彦（中国）／金井正男（朝鮮）　103
ナクサライト——インドのゲリラ戦争について——党員の活動に関するノート
チャル・マルムダール／根津羽二訳　122
最高裁の暗黒人事と任官差別
仙谷由人（二三期弁護士・反戦法律家連合所属）　127
女の論理　河野信子　138
編集後記（M）　155

33号
一九七一年五月増刊号
「W・ライヒ＝性の抑圧と革命の論理」
（一九七一年五月二五日発行）
マルクス主義家族論の陥穽　清水多吉　5

狂気の人間学　片岡啓治　22
孤独者ライヒ　種村季弘　44
抹殺されたものの伝説　平田武靖　51
ライヒ・エピソード　68
三〇年代ライヒ・二重の除名　山崎カヲル　70
性における悪魔の復権　伊東守男　79
性の解放と社会革命　江口幹　94
ソヴェト・ロシア＝性革命のテーゼと反テーゼ　野田茂徳　105
対談　性による抵抗と革命の思想――ライヒの総体的把握のために　平田武靖／清水多吉　117
ライヒの擁護　ボリス・フランケル／海原峻訳　134
ライヒ用語録　146
ライヒ賛絵　辰巳四郎　148
ウィルヘルム・ライヒ本邦初訳論文1　歴史研究への精神分析の応用　ウィルヘルム・ライヒ／山崎カヲル訳　152
ウィルヘルム・ライヒ本邦初訳論文2　自由主義的性改良と革命的性政策との差異　ウィルヘルム・ライヒ／山崎カヲル訳　162
ウィルヘルム・ライヒ本邦初訳論文3　性道徳の出現　ウィルヘルム・ライヒ／片岡啓治訳　166
W・ライヒ年譜　平田武靖編　193

34号

一九七一年六月号
（一九七一年六月一日発行）

【特集《辺境》論を越えるもの】

三里塚に総ての力を集中せよ――日本農民闘争における三里塚の位置　山口武秀　5
患者の魂との共闘をめざして――水俣病闘争における個別性の確認　福元満治（熊本水俣病を告発する会）　20
〈六甲空間〉からの出立――資料・神戸大＝松下裁判――仮装としての被告とは何か　仮装被告（団）　29
階級的裏切りと底なしの差別――矢田教育差別裁判の意味するもの　師岡佑行　49
「天皇制」論覚え書き――宗教としての天皇

制批判　丸山照雄　58
対談《辺境》論を越えるもの――ラディカリズムとの接点とは　谷川健一／石牟礼道子　77
コラム・デ・イエロー・パンサー　69
新刊案内　70
書評　ポール・アヴリッチ著、野田茂徳訳『ロシア・アナキズム全史』（K）　70
書評　ジュリー・ルービン著、田村隆一・岩本隼訳『DO IT!　やっちまえ』（遊）　71
日本人にとって「尖閣」とはなにか――雑誌『中国』編集部・竹内好氏への疑問　劉彩品　73
マタイ試論――現実と観念の接点1　田川建三　86
革命的終末論への試み　好村冨士彦　99
シオニズムとパレスチナ解放　広河隆一　113
地下文書の内在的明証　野田茂徳　124
「昭和維新」の思想と行動　2　西山逸　135
編集後記（蟲）　155

35号

一九七一年七月号
（一九七一年七月一日発行）

【特集〈問い〉と〈暴力〉とマルクス主義】
私の〈大学闘争〉――その暫定的総括　滝沢克己　5
人民の「道理」とはなにか――ヴェーバーのエートス概念　花崎皋平　31
アドリブ派宣言――高橋和巳の死と全共闘　最首悟　40
実践と批判――マルクス主義哲学の課題　岩淵慶一　48
マルクス主義的弁証法の理路――近代的合理主義の地平と弁証法　廣松渉　64
「殺る」ことと大衆暴力――71年日大闘争の地平　村木昇　91
〈左翼的メディア〉の崩壊風景――「朝日ジャーナル」と「構造」にふれて　穂坂久仁雄（ルポ・ライター）　97

〈サロマ〉の叛乱――セイロン人民解放戦線の武装蜂起　細井光子（アジアの反乱研究会）　109
新刊案内　60
書評　谷川健一著『魔の系譜』（樹）　60
書評　菅孝行著『劇的空間のかなたへ――演劇における近代の死とは何か？』（岳）　61
コラム・デ・イエロー・パンサー　63
犯罪者ジュネの〈聖性〉と〈教育〉――「教育論」への一視角　竹田美雄　129
とらわれと解放――ひとつの高校教師論　小倉聖　142
編集後記（S）　156

36号

一九七一年八月号
（一九七一年八月一日発行）

【特集　マルクス主義における〈関係〉の問題】
マタイ試論2　関係の絶対性と観念の自律性――吉本隆明『マチウ書試論』　田川建三　5
マルクス主義哲学の地平〈批判〉哲学としてのマルクス主義　岩淵慶一　17
〈国＝語〉的世界とはなにか――言語と国家についての序　長沼行太郎（《国＝語》批判の会）　30
新島淳良の〈自己批判〉劇　わが南京大虐殺　新島淳良（構成）　45
共同体の中国的質と個体　河野信子　66
「文化革命」論――レーニン・トロツキーと毛沢東　対馬忠行　76
コラム・デ・イエロー・パンサー　89
新刊案内　90
書評　カール・コルシュ著、木村靖二・山本秀行共訳『レーテ運動と過渡期社会』（丘）　90
書評　板倉聖宣著『科学と社会――創造を生む社会・思想・組織』（地）　91
反権力の砦の祭り――三里塚でまつれ！　三里塚青年行動隊と《祭り》実行委員会　93
沖縄レポート　毒ガス輸送の舞台裏

森敏（東大農学部助手） 94
コロンタイ自伝
アレクサンドラ・コロンタイ／瀬戸鞏吉訳 116
「昭和維新」の思想と行動 3 西山逸 136
編集後記 （八） 156

37号

一九七一年九月号
（一九七一年九月一日発行）

【特集 結社と組織】

一元的統合の神話 片岡啓治 5
『フランスの内乱』における国家 山崎カヲル 16
『宣言』前夜の結社と思想――「義人同盟」から「共産主義者同盟」へ 高橋孝夫 25
宗教的発想法批判――キリスト教の人間分析欠陥の重大性 三島康男 44
共同体と〈道〉論――建設された道と〈道〉の規範化 北森拓（PIC・青文連運動） 56
対談 「観念」の絶対性を超える「思想」とは何か――キリスト教批判の原点
田川建三／柄谷行人 70
秘密結社の社会学
ゲオルク・ジンメル／長崎浩訳 135
コラム・デ・イエロー・パンサー 87
書評 W・ライヒ／E・フロム著、山崎カヲル・岩永達郎訳『唯物弁証法と精神分析』
平田武靖 88
書評 片岡啓治著『逆表現の思想』 矢代梓 89
世界革命戦争・大長征の準備のために――辺境の最深部にむかって退却せよ！ 太田竜 91
地域闘争試論 地域住民闘争の自立から地域叛乱の陣形構築を 木暮仄 109
市民社会イデオロギーの虚誕〈中〉――流通意識論序説 対馬斉 120
編集後記 （九） 〔156〕

38号

一九七一年一〇月号
（一九七一年一〇月一日発行）

【特集　ドル体制の崩壊と「宇野経済学」】
世界通貨体制の危機と金融資本の論理　降旗節雄　5
ドル支配体制の崩壊と日本帝国主義　鎌倉孝夫　22
ＩＭＦ体制破局の基本的意義　下条寿郎　34
管理通貨制度・その歴史と内的構造　加藤栄一　48
資本主義の腐朽――世界経済論覚書　馬場宏二　60
書評　レオ・コフラー著、片岡啓治訳『革命的ヒューマニズムの展望』　清水多吉　82
書評　岩田昌征著『比較社会主義経済論』　岩淵慶一　83
コラム・デ・イエロー・パンサー　85
【緊急特集　北総台地の死闘】
人民戦争の新しい段階のはじまり――九・一六成田闘争に思う　井上清　86
泥と炎のなかの「戦闘宣言」　大木よね　92
「機動隊殲滅」の切り開いた地平――本誌座談会による三里塚闘争の現局面　95
「琉球共和国」独立の檄――日本《ヤマト》滅亡のための十五年革命戦争を開始する　太田竜　103
〈実践―哲学批判〉序説――マルクスの新しい〈読み方《レクチュール》〉にむけて　アンリ・ルフェーブル／今井成美訳　113
「昭和維新」の思想と行動　4　西山逸　141
編集後記　（糞）　〔163〕

39号

一九七一年一〇月増刊号
「革命中国特集」
（一九七一年一〇月二五日発行）

過渡期についての毛沢東思想　菅沼正久　5
社会主義革命論――人民革命と社会主義　藤村俊郎　24
中国対外路線と現代世界　太田勝洪　36
中国における経済政策の転換と農業　若代直哉　47
日本独占資本と日中貿易　内田剛　57

七〇年代中国の挑戦　浜勝彦　67
民主主義革命期の農民闘争――中国革命の主体形成　石田米子　76
日本帝国主義と中国　井上清　88
《対談》せまられて梁山に登る――中国人民における「過去」と「現在」
武田泰淳／野村浩一　103
〈編集部インタビュー〉歴史における〈造反〉の意味――紅衛兵と全共闘が問うたもの
武田泰淳　116
日中関係の基本問題――8・15集会での発言
津村喬　124
中国の国づくり――〈人民公社〉を手がかりに考える　藤堂明保　141
中国とロシアにおける社会主義とマルクスの歴史理論　フリッツ・クラマー／富田成訳　149
フランスにおける中国研究と中国認識
マリアンヌ・バスティド（フランス国立科学研究所所員ストラスブルク大学近現代史）／加藤祐三（聞き手）　161
『イル・マニフェスト』派の綱領《テーゼ》　守山晃訳　173
《資料》プロレタリア階級独裁の勝利万歳――
パリ・コンミューン百周年を記念して
『人民日報』『紅旗』『解放軍報』編集部　178

40号

一九七一年一一月
（一九七一年一一月一日）

【特集　ゲリラと武装闘争】

〈革命戦士〉の哲学・序説――時代の破壊にむけた戦士を創出せよ　杏村剛　5
革命戦争の大道――統一赤軍結成の革命的意義　八木健彦　24
大衆的武装闘争の戦略問題――軍事の戦略的防禦性の獲得にむけて　一条信路　41
赤色救援会の復権に向けて
上田吾郎（もっぷる社）　55
ブラック・パンサー党の分裂とアッチカ叛乱
大東武　63

自己批判は勝利への道――『プレンサ・ラティナ』紙インタビュー
レジス・ドブレ／大城明美訳 84
東南アジアの武装解放闘争――マラヤ民族解放軍と北カリマンタン人民遊撃隊 草原麦生 90
書評 香月泰男著『海拉爾《ハイラル》通信』 野田茂徳 106
書評 大内秀明著『宇野経済学の基本問題』
河西勝 107
コラム・デ・イエロー・パンサー 109
《座談会・三里塚青行隊》自立と団結への大長征――よねさんと三の宮君が問うたもの
（出席者）石井新二／柳川秀夫／石井恒司／島村昭治／石毛博道 110
沖縄返還と軍用地問題――〈公益幻想〉と奪権闘争 内水護 118
雁首おとしあるいは前段階的衝撃の告白
平岡正明 133
谷川雁試論――裂けた集団と〈工作者〉の韜晦
菅孝行 138
The Anarchist Cookbook (1)
編集後記 （爆） 〔172〕

41号

一九七一年一二月号
（一九七一年一二月一日発行）

【特集 ウェーバーと現代マルクス主義】

マックス・ウェーバーと「大学問題」――学問における《人為》と《運命》 折原浩 5
諸マルクス主義へのウェーバー的視角
林道義 16
大塚久雄・内田芳明批判――その方法について 田川建三 37
ウェーバー組織論の基本的構造 湯浅赳男 59
〈近代知〉の限界と共同主観性――なぜいま〈ウェーバー〉なのか? 吉村聖 72
悟性の危機――ウェーバーに関する一章
モーリス・メルロ＝ポンティ／山崎カヲル訳 79
書評 野村修著『スヴェンボルの対話』

書評　湯浅赳男著『スターリニズム生成の構造』　守山晃　86
コラム・デ・イエロー・パンサー　黒木龍思　87
沖縄解放とウチナーンチュウ――「返還粉砕」か「協定粉砕」か　89
　　松島朝義　90
「岩波」神話の破砕――岩波臨労のたたかい
　山田信二（岩波書店臨時雇用者労働組合）　99
近代医学批判――〈医学〉の解体をめざして
　全国医学研究者共闘会議　106
〈生の哲学〉と現象学――その争論と克服〈上〉　佐伯省一　120
「昭和維新」の思想と行動　5　西山逸　131
一九七一年度《情況》総目次　152
編集後記　（弾）　〔156〕

42号
一九七二年一月号
（一九七二年一月一日発行）

【特集　戦後精神の解体と超克】
悟性的秩序の崩壊とその予兆――《ドイツ・ロマン主義》論　清水多吉　5
《死にきれぬもの》への挽歌――固定観念・伊東静雄　山崎昌夫　17
神と政治――バチカンの世界政治支配　丸山照雄　27
戦後解体期における時代精神――〈長崎浩論〉への試み　黒木龍思　40
コラム・デ・イエロー・パンサー　57
書評　清水正徳著『人間疎外論』　吉村聖　58
書評　『北井一夫写真集　三里塚』　天野道映　59
物象化論の哲学の地平――マルクス主義の極北にむけて――廣松渉ノート　芝田陽　61
『ドイツ・イデオロギー』文献批判の意味――廣松渉編集案の検討にむけて　坂間真人　74
大菩薩塩見孝也　破防法裁判闘争記録①
丸山照雄（破防法裁判闘争を支える会世話人）　85
《政治的言語》の諸問題――政治におけるパロールとエクリチュール　宇波彰　93

〈公益幻想〉と人民抑圧立法①　戦後の公害・土地立法と拠点開発政策　内水護　105
〈生の哲学〉と現象学――その争論と克服〈下〉　佐伯省一　118
先進工業社会とヒューマニズム　ヘルベルト・マルクーゼ／片岡啓治訳　135
わが愛しのテロリアン〈第一話〉頭のさきまでまっ白けのけ　宮原安春／芳谷圭児（え）　146
編集後記　（鼠）　〔164〕

43号

一九七二年二月号
（一九七二年二月一日発行）

世界通貨体制の危機と日本階級闘争〈上〉　藤本進治　5

【特集　アナキズムと現代】

無政府主義革命の黙示論――国家撃攘と共同体への原基　千坂恭二　15
対談《政治》と《犯罪》とアナキズム　秋山駿／長崎浩　55
労働者自治管理論――プルードン死後百年記念討論会報告　ダニエル・ゲラン／江口幹訳　65
非在の《私》と組織――無限留保の可能性と不可能性　権寧　46
書評　吉本隆明著『源実朝』　片岡啓治　84
書評　新川明著『反国家の兇区』　いれい・たかし　86
コラム・デ・イエロー・パンサー　87
建軍遊撃戦と反米愛国路線――〈敵消滅・味方保存〉の武闘に徹せよ！　渡辺正則（一二・一八「交番襲撃」闘争被告）　88
インタビュー・川本輝夫（水俣病新認定患者家族代表）――憤怒を込めて坐りこめ！　穂坂久仁雄　103
三里塚せんこう隊・二年間の総括――少年行動隊と軌跡をともにした三里塚せんこう隊解体の跡に残ったものは？　須田克子　110

アイヌ革命論〈上〉——原始共産制の自己主張
をうたえ！　太田竜　122
〈公益幻想〉と人民抑圧立法②　新全総路線と
大都市再開発　内水護　135
わが愛しのテロリアン〈第二話〉木石にあら
ず転石なり　宮原安春／芳谷圭児（え）　145
編集後記　（教）　〔164〕

44号

一九七二年三月号
（一九七二年三月一日発行）

世界通貨体制の危機と日本階級闘争〈下〉
藤本進治　5
階級的労働運動の創設にむけて——労活運動の
歴史的位置　前田裕吾　22
アッチカ叛乱と囚人権力《プリズナー・パワー》——権力の要塞のなか
のコミュニティ　大東武　31
【緊急特集〈戦士〉への抑圧と反撃の論理】
強いられた後退戦を人民の暴力に依拠して反
撃せよ！　羽柴浩次郎　66
資料　三里塚からの報告とあっぴいる　72
資料　緊急アピール・連合赤軍銃撃戦断乎支
持！　74
《私》にとって反撃の原基とは　清水多吉　75
この顔にピンときたら110番！——または『お
たずねもの非力宣言』　池田浩士　79
地下濠から空へ——三里塚における反革命と
革命　鈴木優一　93
書評　カカバッゼ著、笠井忠訳『人間——哲学
の根本問題』　岩淵慶一　100
書評　廣松渉著『青年マルクス論』　坂間真人　101
コラム・デ・イエロー・パンサー　103
米軍極東戦略の転換と毒ガス問題——沖縄第二
次毒ガス撤去の意味するもの　森敏　104
悟性の危機〈下〉——ウェーバーに関する一章
モーリス・メルロ＝ポンティ／山崎カヲル訳　124
「昭和維新」の思想と行動　6　西山逸　135
わが愛しのテロリアン〈第三話〉やはり野に
おけ罌粟の花　宮原安春／芳谷圭児（え）　147

編集後記　（P）　〔164〕

45号

一九七二年四月号
（一九七二年四月一日発行）

人間存在の共同性の存立構造　廣松渉　5
【緊急特集《政治》のなかの死】
「連合赤軍」その批判と評価　山口武秀／浅田光輝　41
人民の軍隊――人民のさらなる団結を　松本一美（日本赤色救援会）　55
課せられた試練の意味を問う　丸山照雄（日蓮宗僧侶）　58
〈支配の構造〉を撃て　菅孝行（劇作家）　64
目的は手段を〈聖化〉しうるか　片岡啓治（評論家）　71
コラム・デ・イエロー・パンサー　77
書評　林道義著『スターリニズムの歴史的根源』　落合住夫　78
書評　マラパルテ著、矢野秀訳『クーデターの技術』　千坂恭二　80
〈沈黙〉によっていかに反撃するのか――『読売新聞』三月六日付「有題無題氏への手紙」　福富弘美　82
日本革命思想の転生〈上〉――近代主義革命思想への〈ロマン的反動〉批判　黒木龍思　84
革命戦争への道――政治的過程における弁証法　服部正志　99
幻想あるいは想像力の体系――モナド・全体性・想像力　小林勝次　117
アイヌ革命論〈下〉――原始共産制の自己主張をうたえ！　太田竜　126
〈公益幻想〉と人民抑圧立法③　公共投資主導型政策の欺瞞性　内水護　136
わが愛しのテロリアン〈第四話〉海は煙りておぼろおぼろ　宮原安春／芳谷圭児（え）　147
編集後記　〔163〕

46号

一九七二年五月号

（一九七二年五月一日発行）

理性の錯乱――「全共闘」の総括のための序　山本義隆　5

【特集　叛乱するアジア】

対談　米中会談後のアジア情勢――ベトナム大攻勢をめぐって　蠟山芳郎／宮本弘　20

インド亜大陸における革命と反革命――バングラデシュをめぐる階級関係　石田保昭　37

フィリピンにおける反政府武装闘争――フクバラハップから新人民軍再建へ　北沢洋子　48

資料①　壮大な人民武装を進めるため革命根拠地を建設し奮闘努力しよう（北カリマンタン人民遊撃隊成立二週年記念論文）　草原麦生訳　60

資料②　北カリマンタン人民武装勢力は不断に強大化している　63

資料③　ビルマ革命闘争の現段階（バ・ぺ論文）　64

資料④　民族統一戦線の役割と任務（チュオン・チン論文）　北沢洋子訳　70

呪われた〝日本人〟のための解体新書――沖縄青年同盟の告発に答えて　鈴木武樹（沖青同の国会行動を支持する会）　77

国境・国家・わが弧状列島――国家論＝過渡期世界論・序説　川田洋　86

書評　宇波彰著『言語論の思想と展開』　今井成美　104

書評　平岡正明著『永久男根16』　山盛光輝　105

コラム・デ・イエロー・パンサー　108

《事実》幻想と代行の論理――加担するメディアの構造とは　穂坂久仁雄　109

新左翼運動の未来と展望　ヘルベルト・マルクーゼ／ロベール・ペクー（インタビュアー）　122

日本革命思想の転生〈上〉②――近代主義革命思想への〈ロマン的反動〉批判　黒木龍思　129

〈公益幻想〉と人民抑圧立法④　無過失賠償責任法案の陥穽　内水護　138
わが愛しのテロリアン〈第五話〉摂氏一〇四度のダイアナ　宮原安春／芳谷圭児（え）　146
編集後記　〔163〕

47号
一九七二年六月号
（一九七二年六月一日発行）

【特集　六〇年代の政治と文学の構造】
遠方の友へ――なぜわれわれは社会的な生の場面で自分に躓いてしまったのか　秋山駿　5
陰画としての文学――反情況的世界の迷路　磯田光一／柄谷行人　14
持続する精神とぐうたらの精神――日常性・文学・運動　黒井千次／最首悟　31
「無謬の党」神話との相剋――小林勝の死　岡庭昇　45
六〇年代感性の孤死――岸上大作論　西原和海　56
〈解体新書〉69～72――あらゆる表現をたたかいの凶区とせよ　菅谷規矩雄　69
書評　ハンナ・アレント著、阿部斉訳『暗い時代の人々』　船戸満之　82
書評　松沢哲成著『橘孝三郎――日本ファシズム原始回帰論派』　有馬学　84
コラム・デ・イエロー・パンサー　86
琉球独立運動の第三段階――琉球・アイヌ独立の志士の盟約　太田竜　87
〈公益幻想〉と人民抑圧立法⑤　公益的人間づくりと教育政策　内水護　97
勝利への道――統一赤軍の総括　花園紀男　107
わが愛しのテロリアン〈第六話〉地蔵和讃の歌が聞える　宮原安春／芳谷圭児（え）　147
編集後記　（異化）　〔163〕

48号
一九七二年七月号
（一九七二年七月一日発行）

権力の最新型弾圧＝冤罪と対決する――〈公舎爆破未遂〉事件の謀略性　桐野敏博（十月社同人）　5
フレーム・アップとどう闘うか――弾圧に反撃し報復するための序　福冨弘美　17
非体系化《ノン－システマティザシオン》・体系化《システマティザシオン》・無体系化《ネアンティザシオン》――竹内芳郎言語論批判　小林勝次　34
共同体論争の現況〈上〉――大塚久雄批判の基礎視角　園村奎　52
日本革命思想の転生〈上〉③――近代主義革命思想への〈ロマン的反動〉批判　黒木龍思　77
吉本隆明の世界――詩と真実　中村文昭　97
わが愛しのテロリアン〈第七話〉あした天気になあれ　宮原安春／芳谷圭児（え）　149
編集後記　〔164〕

49号

一九七二年八月号
（一九七二年八月一日発行）

【特集　武装と人民】
キューバ・ゲリラの政治的基礎――十二名の革命戦士を支えたもの　冨岡倍雄　5
インドシナ半島の革命と反革命――南ベトナム解放民族戦線形成史　北沢洋子　16
《世界》革命と国家・軍隊――インタナショナルの原質とは何か　千坂恭二　31
クラウゼヴィッツの政治とイロニー――マルクス主義軍事論とナチスの軍隊　清水多吉　46
腐蝕列島72　56
書評　中野孝次著『実朝考』　三光長治　58
書評　真木悠介著『人間解放の理論のために』　矢代梓　60
共同体論争の現況〈中〉――大塚久雄批判の基礎視角　園村奎　62
日本革命思想の転生〈中〉①――近代主義革命思想への〈ロマン的反動〉批判　黒木龍思　87
ユートピアの精神――カール・マルクス、死および黙示録　エルンスト・ブロッホ／好村冨士彦訳　102

わが愛しのテロリアン〈第八話〉陽気なる死者たち　宮原安春／芳谷圭児（え）　148
編集後記　（河童）　〔164〕

50号
一九七二年九月号
（一九七二年九月一日発行）

【特集　近代科学技術の宿命】
座談会　近代自然観の超克――近代科学技術への批判的視座　広重徹／村上陽一郎／廣松渉　5
遺産としての近代科学――現代科学技術論の虚勢　中村禎里　29
武谷技術論を超えるもの――「主体的技術論」の現代的転倒とその限界　若林一平　44
技術的整合体系の虚無――〈技術者〉の実践とはなにか　梅林宏道　56
科学的理性の成立と陥穽――歴史的社会的現実としての近代科学　青山武　69
自然保護から自然奪還へ――〈人間と自然との関係〉についての考察　明峯哲夫　87
〈連合赤軍公判対策委員会〉発足アピール　99
書評　T・W・アドルノ著、大久保健治訳『批判的モデル集Ⅰ・介入』『批判的モデル集Ⅱ・見出し語』　山崎昌夫　100
書評　石牟礼道子編『わが死民――水俣病闘争』　高阪進　102
腐蝕列島72　104
テル・アビブ軍事裁判の欺瞞性――イスラエル政府が狙ったもの　庄司宏（弁護士）　106
一発の銃声はなにを呼びよせたか――二・一六鉄打銃警官狙撃闘争　千葉正健　115
赤軍派の同志諸君への檄――建国・建軍・建党の総路線の旗の下に！　太田竜　129
権力＝住民支配の構造を衝く――「兵庫県健康管理システム」の意味　津川敬　147
出版労働者における頽廃の超克に向けて――中央公論社労働組合少数派の闘い　中央公論社労働組合有志（代表・吉田邦宏）　160

共同体論争の現況〈下〉——大塚久雄批判の基礎視角　園村奎　179
編集後記　〔204〕

51号

一九七二年一〇月号
（一九七二年一〇月一日発行）

住民闘争の革命的構図——三里塚と高浜入　山口武秀　5
反革命包囲網を粉砕せよ——九・一六三里塚を闘う人民大集会報告
三里塚・芝山空港反対同盟／三里塚青年行動隊　16
ルポ——相模原〝戦車〟搬出阻止闘争　民衆の反乱の原基を視よ——「市民」の終焉から住民闘争へ　山波三郎　27
戦闘的労働組合運動の新しい展開——第一回労組交流会の意義と役割　山中明　40
崑崙山解放区　53
腐蝕列島72　54
書評　池田浩士著『初期ルカーチ研究』　瀬戸鞏吉　56
書評『織田達朗評論集　窓と破片』　田中淳一　58
【特集　平田共同体論と国家・市民社会】
平田「共同体論」とその位置づけをめぐって　園村奎　60
マルクス学説の再興〈上〉——「平田清明説」への批判的評註　坂間真人　78
カントと啓蒙主義的国家論の変容——マルクス主義における人間・社会・国家V　廣松渉　95
快楽原則とシュティルナー——国家・市民社会を震憾させるもの　片岡啓治　110
日本革命思想の転生〈中〉②——近代主義革命思想への〈ロマン的反動〉批判　黒木龍思　126
パレスチナ・ゲリラとイスラエル革命——シオニズムの階級構造の分析
イスラエル社会主義組織（マツペン）／広河隆一（訳・解説）　135
編集後記　〔160〕

52号
一九七二年一一月号
（一九七二年一一月一日発行）
秩父事件のなかの党――そのスペクトル分析　長崎浩　5
【特集　天皇制への照射】
天皇と明治維新――マル系日本史家への提言　対馬忠行　24
天皇制軍隊論・序説――明治初期の軍隊成立の状況　針生清人　48
天皇批判と民族問題について――カトリック・天皇・仏教（教団）　丸山照雄　62
座談会　天皇にクソを投げる日――コペンハーゲン天尿組始末　73
腐蝕列島72　94
書評　奥崎謙三著『ヤマザキ、天皇を撃て！』　菅孝行　96
書評　上野英信著『天皇陛下万歳――爆弾三勇士序説』　高阪進　98
〈対談〉ロシア革命からの飛翔――『十月革命への挽歌』をめぐって　藤本和貴夫／菊池黒光　100
ヨコスカ――その戦略基地としての実体と問題点　小山内宏　114
ゲリラ戦から始めよ――ドブレの「革命」概念の転換に答えて　千葉正健　121
中央公論社闘争・資料　折原浩　135
革命の神学者トーマス・ミュンツァー――その生涯1　エルンスト・ブロッホ／今泉彩・樋口大介訳　152
編集後記　（M）　〔180〕
53号
一九七二年一二月号
（一九七二年一二月一日発行）
和歌・その論理と構造――和歌および和歌的心性について　村井紀　5
【特集　和人《シャモ》―日本人《チョッパリ》―大和人《ヤマトウンチュ》】

クナシリ蜂起の志を継ぐ――お味方アイヌの権力を撃て！ 太田竜 23
《騎馬民族》と朝鮮・日本――差別の底流―皇国史観を批判する 鈴木武樹 32
東アジア民衆史観の形成――日本人とはなにか 後藤孝典 46
沖縄・分離―融合論の係数――幻の琉球共和国建設批判 松島朝義 56
腐蝕列島72 66
書評 アンジェラ・デービス編著、袖井林二郎監訳『もし奴らが朝にきたら』 大東武 68
書評 細川嘉六著『アジアと日本（著作集・第三巻）』 鈴木正節 70
米軍事戦略の転換とベトナム停戦 小山内宏／久保綾三 72
成熟論――あるいは反主体性主義批判 山田泰利 84
蒼ざめた《群衆》へのメッセージ――都立国立高全共闘・一つの総括 野口光宣 99
東大裁判闘争公判記録 山本義隆（証人）／折原浩（特別弁護人） 111
バリケードの彼方に――北アイルランド叛乱の背景 ラッセル・ステットラー／高瀬柳子訳 127
マルクス学説の再興〈下〉――「平田清明説」への批判的評註 坂間真人 139
革命の神学者トーマス・ミュンツァー――その生涯2 エルンスト・ブロッホ／今泉彩・樋口大介訳 156
編集後記（K） 〔180〕

54号

一九七三年一月号

（一九七三年一月一日発行）

【特集　実存・物象化・共同主観】

座談会　サルトルの地平と共同主観――役柄存在・言語・構造主義をめぐって 足立和浩／白井健三郎／廣松渉 5
J・P・サルトルと《自我》の苦悶――〈近

代の超克〉マニュフェスト　高味文雄　33
「歴史理論」としての共同体論――構成体移行論への補註的指標　園村奎　45
マルクス主義の歴史における『ドイツ・イデオロギー』の位置
Γ・A・バガトゥーリア／坂間真人解説・訳　61
書評　青野聡著『天地報道』　山崎昌夫　80
書評　亀井トム著『狭山事件』　園村奎　82
ベトナム和平と世界革命――和平と革命――ひとつの走り書き　川田洋　84
新人民軍の最初の銃声――フィリピンの新たな武装闘争　北沢洋子　94
大アジア主義とアイヌ・蝦夷独立戦線――〈汎アジア窮民革命論〉批判　太田竜　108
自由都市連合の建設への道――地域闘争派政治綱領試案　矢崎久（月刊『共同』編集委員会）　117
東大裁判闘争公判記録　続
山本義隆（証人）／折原浩（特別弁護人）　130
革命の神学者トーマス・ミュンツァー――その生涯3
エルンスト・ブロッホ／今泉彩・樋口大介訳　146
一九七二年度《情況》目次　168
編集後記　（S）　〔172〕

55号

一九七三年二月号

（一九七三年二月一日発行）

【特集　刑法改悪と警察国家】
刑法改正の意味するもの――ファシズム刑法の特徴とは　作田治朗　5
胎児考――堕胎罪と女の論理　吉清一江　17
対談　歴史のなかの「法」と「人民」――刑法改悪は法の破産　羽仁五郎／水戸巌　30
警察国家を弾劾する　浅田光輝　49
公安警察の取調べの実態――〈公舎爆破未遂〉事件の場合　須藤正　54
法定刑（犯罪類系）比較一覧表　67

刑法全面改正要綱案に対する意見　日本弁護士連合会　80
刑法改悪阻止にむけて
救援連絡センター／資料作製＝水戸巌　88
インタビュー　選挙と大衆と住民闘争――大衆意識の皮相と本体　山口武秀　94
赤軍の同志たちへ　千葉正健　102
御用《ツキノエ》アイヌへの挑戦から始めよ――結城庄司・アイヌ解放同盟への原則的批判　太田竜　119
フランス陸軍治安出動要綱　佐伯遼編・訳　131
猶予の四日間　兵頭正俊／東千賀（イラスト）　143
編集後記　〔180〕

56号

一九七三年三月号
（一九七三年三月一日発行）

【特集　国家の出現と文化・言語】
古代史のなかの〈国家〉《上》――構成体移行論への補註的指標　園村奎　5
漂海漁民と国家――陸上民＝秩序への収斂の構造　野口武徳　25
常民論ノート――柳田民俗学の原点　後藤総一郎　36
乱世と知識人――もどきの芸の喪失と道化　森秀人／山口昌男　47
古代史における国家と常民――現代史としての古代史を問う　金達寿／谷川健一／鈴木武樹　61
【シンポジウム・日本語と東アジアの諸言語】
満州族の歴史と日本古代――満州語と日本語　三田村泰助　80
朝鮮語からみた日本の神と祭――朝鮮語と日本語　金思燁　91
日本語の成立　大野晋　99
腐蝕列島73　106
書評　金子ふみ子著『何が私をかうさせたか』　小沢遼子　108
アジア的生産様式論への一視角――マルクス「インド村落」論の思想的背景　岸田滋　110

モルガン・エンゲルスと現代人類学1
エマニユエル・テリー／宮本隆訳・解説 124
都市的革命〈上〉
アンリ・ルフェーブル／北林寿信訳 145
編集後記 （N） 〔172〕

57号

一九七三年四月号
（一九七三年四月一日発行）

腐爛する世界の七〇年代へ――忍者と爆弾――
国家の黄昏に恐慌が笑う 川田洋 5
【特集 弾圧は分断されたものをひとつに結集させる】
〈竹本処分〉が暴露したもの――いま何が問われているか 池田浩士 20
捜査される側の論理――警察国家への前衛・
埼玉県警との宗教的会見記 丸山照雄 50
不当捜査・対抗のための原点――警官職務の法的研究 千代丸健二 60
書評 長尾久著『ロシア十月革命』 藤本和貴夫 74
書評 D・ヴォルフ著、平瀬徹也・吉田八重子訳『フランスファシズムの生成』 山崎カヲル 76
人民遊撃戦争路線の深化のために――党内にあらわれた清算主義を批判する 天地正春 78
東亜同文書院と荒尾精――ある情報将校の侵略的連帯論 竹中憲太郎 104
モルガン・エンゲルスと現代人類学2
エマニユエル・テリー／宮本隆訳・解説 122
都市的革命〈下〉
アンリ・ルフェーブル／北林寿信訳 140
編集後記 〔164〕

58号

一九七三年五月特大号
（一九七三年五月一日発行）

【特集 連合赤軍の軌跡――獄中書簡集】
【Ⅰ 闘争】
京浜安保救対宛書簡――二・一七銃奪取闘

争から新党結成までの過程　坂口弘　7
プロレタリア革命党ｰ赤軍の建設及び世界
ｰ日本革命戦争の勝利へ向けて　植垣康博　17

【Ⅱ　敗北】
高橋弁護士宛書簡　永田洋子　33
高橋弁護士宛書簡　永田洋子　34
角田弁護士宛書簡　永田洋子　38
京浜安保救対宛書簡　永田洋子　40
高橋弁護士宛書簡　坂東国男　43
革命の同志諸君へ　坂東国男　44
九・一八人民集会へのアピール　坂東国男　48
西垣内弁護士宛書簡　植垣康博　52
西垣内弁護士宛書簡　植垣康博　54
九・一八人民集会へのアピール　植垣康博　57
角田弁護士宛書簡　森恒夫　61
全国で日々闘っておられる方々へ　森恒夫　62
もっぷる社宛書簡　森恒夫　72
三・三一党声明に応えて　加藤倫教　77
再生に向けての資料　加藤倫教　78
統一公判に向けて――抗議・戦闘宣言　加藤倫教　79
公判対策委宛書簡　坂口弘　81
謝罪と闘争宣言　坂口弘　83

【Ⅲ　自死】
吉野雅邦宛書簡　森恒夫　91
坂口弘宛書簡　森恒夫　97
塩見孝也宛書簡　森恒夫　104
坂東国男宛書簡　森恒夫　111
森恒夫宛書簡　坂口弘　116
日・米帝国主義、資本家階級、政治治安警
察との戦闘再開に向けて、亡き同志達、
同志森の戦死を追悼する　坂東国男　118
三上弁護士宛書簡　吉野雅邦　121
同志森の死を悼む
永田洋子／坂口弘／植垣康博／加藤倫教
／前沢虎義／奥沢修一／寺林真喜江　126

【Ⅳ　発言】
六全協以下的政治＝エセ「総括」を粉砕し
よう――〔付〕坂東国男の福田宏宛書簡

福田宏　132
連合赤軍公判闘争に関して、公対委、被告団、弁護団への要求　高原浩之　139
Aさん宛書簡　Q　140
京浜安保救対宛書簡　石井功子　145
一二・一八集会アピール　渡辺正則　147

【V　公判】
緊急抗議声明　加藤倫教　157
抗議声明　統一被告団　158
ハンスト宣言　坂口弘　159
一・二三百回指定粉砕集会へのアピール　前沢虎義　161
救援連絡センター宛書簡——出廷拒否とハンストの経過　永田洋子　161
連合赤軍統一公判問題について　植垣康博　168
公判に向けてのアピール　坂東国男　171
救援連絡センター宛書簡　吉野雅邦　174
「第一回公判」での発言　永田洋子　177
〈迫る会〉奮戦記——百回期日指定白紙撤回をかちとるまで　田中美津（〈迫る会〉会員）　181
〈分離公判〉レポート——〝沈黙〟が殺人犯として裁かれる　穂坂久仁雄　195

【VI　討論】
討論
丸山照雄（日蓮宗僧侶）／小沢遼子（埼玉べ平連）／蔵田計成（評論家）／菅孝行（劇作家）／西山逸（歴史家）／穂坂久仁雄（ルポライター）　205

【VII　資料】
軍の統一の問題について　川島豪　226
「軽井沢銃撃戦と粛清問題の総括と自己批判」のために　川島豪　227
われわれの基本路線について　川島豪　229
連合赤軍敗北の正しい総括の下、プロレタリア革命主義の旗を高く掲げてさらに前進しよう！　塩見孝也　235

59号

一九七三年六月号

（一九七三年六月一日発行）

【特集 〈生〉か〈政治〉か――抑圧社会の根基《ラディックス》を視よ】

政治的共同性の構造――アジテーターの〈世界〉とは　長崎浩　5

対立と抗争の政治哲学――カール・シュミット断章　清水多吉　25

階級闘争と身分闘争――部落解放運動の歴史的総括　土方鉄　34

道を切り拓くには手に豆をつくらねばならない　梅割酒男　43

敗北の構造と人民戦争――南朝鮮におけるゲリラ闘争＝『パルチザンの詩』をめぐって　許元沢／丸山照雄　53

連赤敗北の真の総括のために――『情況』二月号・千葉論文への反批判　塩見孝也　70

連合赤軍の「革命」の意味――獄中書簡を読んで　浅田光輝　104

書評　E・ホッファー著、柄谷行人・真佐子訳『現代という時代の気質』　村井紀　110

書評　E・モラン著、杉山興信訳『オルレアンのうわさ』　長沼行太郎　112

コラム・デ・イエロー・セプテンバー　114

現代史の調査資料は誰のものか――『日本人の海外活動に関する歴史的調査』復刻出版禁止仮処分をめぐって　115

夢野久作ノート――冥府からの廻状に応えて　西原和海　125

傀儡師　杉山萠圓　136

「傀儡師」と「ドグラ・マグラ」　狩々博士　162

編集後記　〔164〕

60号

一九七三年七月号

（一九七三年七月一日発行）

【特集　草莽・攘夷・千年王国】

攘夷論――〈西欧〉なる他者との直面　片岡啓治　5
国学運動の展開と反転――その精神の思想史的位置　芳賀登／清水多吉　17
土着の叛乱――秩父蜂起の基底から　姫岡秋介　44
戦後農民の斗いの軌跡　山口武秀　57
書評　浅田光輝著『破防法裁判傍聴記』　丸山照雄　62
コラム・デ・イエロー・セプテンバー　64
国家の〈時間〉と歴史認識――イタリア・日本を通底するもの　野田茂徳　65
〈遊撃戦争路線〉の総括――革命左派（神）の根本的誤謬について　雪野健作　77
三里塚空港の騒音問題　伊藤京子　96
〈アフリカ的生産様式〉について　神庭三郎　104
物象化・存立構造論としての『資本論』――近代社会観の超克に向けて　廣松渉／真木悠介　116
政治的共同性の構造Ⅱ　長崎浩　134
日本革命思想の転生〈中〉②――近代主義革命思想への〈ロマン的反動〉批判　黒木龍思　149
編集後記　〔164〕

61号

一九七三年八月号
（一九七三年八月一日発行）

【特集　宗教批判と国家―社会】

キリスト教批判の現代的意義――その自然観と時間軸の構造　村上陽一郎　5
なぜ「宗教批判」か――キリスト教批判から現代批判への回路　桑原重夫　17
パウロ主義批判――その〝義認論〟をめぐって　千葉宣義／桑原重夫／堀光夫／高橋敬基ほか　26
宗教批判と観念の位相――吉本集会の提起したもの　田川建三　50
支配者の〝総括〟を超えるものを――〈竹本処分〉が暴露したもの2　資料編集・池田浩士　57
コラム・デ・イエロー・セプテンバー　82

日石・土田事件被告への死刑策動を許すな
「法大レーニン研」被告 83
政治的共同性の構造Ⅲ――政治的経験とはなにか
長崎浩 94
ブルジョア民族国家の存立構造――天皇制―日本資本主義論争を超えるもの
高橋道郎 114
編集後記 〔164〕

62号

一九七三年九月号
（一九七三年九月一日発行）

【特集　天皇信仰と土俗宗教】

民族宗教としての天皇制――その宗教―社会的構造
二葉憲香／里村暁洋 5
天皇信仰の心性構造――常民論ノート2
後藤総一郎 20
白のフォークロア――シラサン信仰におけるシャーマニズム
宮田登 29
神秘主義的政治学――ニュー・レフトからの亡命者たち
アンドリュ・カプキン／梅谷昇（訳） 36
コラム・デ・イエロー・セプテンバー 46
パレスチナ解放闘争の地平――〈近代〉の超克とハイジャック闘争
北沢正雄／加茂雄三／広河隆一 47
《最大帝国主義》のある帰結――ウォーターゲート事件の背景
北沢洋子 65
住民自治と町長選挙――「みんなで町政をおこなう会」講演
山口武秀 77
医学の革命から革命の医学へ――東北大鳥飼内科の生体実験を告発する
堂本文彦 83
〈障害者〉への差別・抑圧の構造――府中療育センター移転阻止闘争
原進（移転阻止闘争支援グループ） 94
古代史のなかの〈国家〉《中》――構成体移行論への補註的指標
園村奎 108
モルガン・エンゲルスと現代人類学3
エマニュエル・テリー／宮本隆（訳・解説） 122
総破壊の使徒バクーニン――〈第一部〉初期バ

クーニン　千坂恭二　136
編集後記　〔164〕

63号

一九七三年一〇月号
（一九七三年一〇月一日発行）

【特集　新左翼労働戦線】
大衆闘争の現状と〈戸村選挙〉――実力闘争の継承・波及をこそ　咲谷漠　5
いわゆる〝反戦派〟以降――労働者領域における今日的到達点　仙波輝之　17
【第二回全国労働組合活動交流集会ルポ】
緒についた戦線形成　清水一　26
〈合同労組〉の大胆な提起　冨岡倍雄　34
アジアに進出する日帝資本　北沢洋子　40
職場におよぶ現代の魔女狩り　西山逸　48
「全金本山」・闘いの軌跡――特防の暴力と組織分裂に抗して　鎌田慧　56
職場闘争の陣型――全金本山・日カバ労組の提起
青柳充（全金本山）／立花義孝（日カバ労組）／浜住憲次（日カバ労組）／石川寛（司会、社会労働研究所）　67
反戦青年委と労活運動――第二回集会の暫定的総括　松本礼二　81
左翼少数派労働運動の展望　労働運動研究会（少数派）　87
武田範之と「亜細亜之革命」――天佑俠徒・〈他者意識〉の欠如　松沢哲成　107
狂劇にっぽん水滸伝――最終指令自爆せよ！　菅孝行　130
編集後記　〔172〕

64号

一九七三年一一・一二月合併号
（一九七三年一二月一日発行）

【特集　天皇制】
天皇制の最高形態とは何か――戦後天皇制の

存在様式をめぐって　菅孝行　5
象徴天皇主義批判・序説――イデオロギー・
制度・運動の構造　丸山照雄　17
政治権力としての近代天皇制――天皇―ニク
ソン交換訪問を前にしての感想
いいだ・もも　35
天皇の像を求めて＝韓国の旅　藤明　51
未完の天皇と汚された天皇――中世期太子信
仰と近世的パロディ　白羽呉夫　67
遺稿「忘却するということ、しないというこ
と」　呉林俊《オイムジュン》　78
日本の上に水爆を――宋斗会・林景明、闘い
のレポート　流星一　80
日本近代と天皇制――大江健三郎をめぐって
秋山駿／五木寛之／片岡啓治　94
戸村選擁立委員への〈公開質問状〉
青年行動隊（三里塚・芝山連合空港反対同盟）　119
ぼくらヤングとしてのＴＤＱ――柳下村塾との
連帯の回路とは　東京伝習館救援会（ＴＤＱ）　122
政治的共同性の構造Ⅳ――大衆権力について
総破壊の使徒バクーニン――〈第二部〉汎スラ　長崎浩　131
ヴ革命主義　千坂恭二　150
編集後記　〔180〕

65号

一九七四年一月号
（一九七四年一月一日発行）

【特集　疎外・物象化と『ドイツ・イデオロギー』】

『ドイツ・イデオロギー』の文献学的諸問題
――新ＭＥＧＡ（試行）版に寄せて　廣松渉　5
哲学と経済学との出会い――『経哲草稿』は
何を残したか　篠崎武　37
倒錯社会の構造について――マルクス物象化
論への覚え書き　高橋洋児　51
終りなき対話――エルンスト・ブロッホ会見
記　好村冨士彦　62

『ドイツ・イデオロギー』の今日的課題——廣松説の意図と問題点　坂間真人　72
『ドイツ・イデオロギー』第一篇の再構成　バガトゥーリヤ／坂間真人（訳）　87
アルチュセールの《理論的実践》について　ジャン・ドゥプラン／宇波彰（訳）　128
書評　脇圭平著『知識人と政治』　清水多吉　68
書評　高橋治著『派兵（上・下）』　西原和海　70
《戸村選挙》と三里塚闘争——三里塚青行隊による座談会　相川勝重／石井恒司／石毛博道／柳川秀夫　137
編集後記　（虎）　〔148〕

66号

一九七四年二月号

（一九七四年二月一日発行）

【特集　危機の時代と差別・抑圧】

脱領域の政治——在日朝鮮人と日本人民戦線・序説　津村喬　5
ベトナム〝援助〟の名の下に——日帝資本の海外進出の実態　和田春樹（ハイエナ企業市民審査会）　37
弱者の滅私御奉公——ただの主婦の見た樺太抑留韓国人　三原令　48
台湾独立運動と民主主義——付＝もうひとつのK・CIAとの闘い　林景明　56
怒りの星・宋斗会　「樺太」委員会編　73
反日闘争か「日本革命」か——人民もまた帝国主義者なり　灘かずもと　90
日本帝国主義下の朝鮮人言論闘争　高峻石　102
《党》の神話と差別・抑圧——人間の復元力とは何か　高史明／最首悟　26
『情況』新年号「《戸村選挙》と三里塚闘争」について　100
新年宮中歌会・試論——〝のどかな節まわし〟の底にあるもの　山崎昌夫　121
第四次中東戦争と石油危機——ゆきづまるアメリカの世界戦略　北沢洋子　132
編集後記　〔148〕

67号

一九七四年三月号

（一九七四年三月一日発行）

【特集　大衆運動・党派・知識人】

日々のたたかいのなかで――東大闘争・中公闘争・内ゲバをめぐって　折原浩　5

《政治党派》の矜持――革マルの弁護団襲撃を弾劾する　浅田光輝　21

イエス――逆説的反抗者の生と死（その三）――イエスの批判的活動　田川建三　31

書評　戴国煇著『日本人とアジア』　伊藤一彦　64

書評　菊池昌典著『一九三〇年代論』　片岡啓治　66

正史'74　68

「抗日暴動」のアジア的構造〈上〉――韓国の反朴運動とタイ学生革命　北沢洋子　71

全造船機械浦賀分会の闘い――職制支配を断ち切ったM君　鎌田慧　84

マイホーム主義の破産から福祉へ――構造的危機と民同の崩壊　永瀬庸一　96

前衛党論――その実践と組織――政治的共同性の構造V　長崎浩　106

編集後記　〔148〕

68号

一九七四年四月号

（一九七四年四月一日発行）

【特集　国民春闘批判】

宇野理論と現代――現代の危機の基本的分析視角　降旗節雄　5

プロレタリアートの権力闘争――労働者の政治的結集形態と生産管理――自己権力　仙波輝之　17

『国民春闘』の成熟と陥穽――大衆的力量を解き放つために　津村喬　27

〈千載一遇〉の電力危機！――電事連「意見広告」への反論　よしだ・ともや　37

突破口としての本山闘争――友と心を敵の手に渡すな　青柳充／由良博／根岸敏文　49

書評　菅孝行著『吉本隆明論』　鵜戸口哲尚　62
書評　滝沢克己著『日本人の精神構造』　菅孝行　64
正史'74　66
戦後思想と吉本隆明——戦争責任論・《大衆の原像》をめぐって　片岡啓治／最首悟／菅孝行　69
トロツキズム批判と綱領問題——千葉正健批判（公開論争）　高原浩之　86
日帝を滅ぼす二つの道——建国・建軍・建党路線と「一国社会主義」　太田竜　103
予防反革命権力としての天皇制——天皇—ニクソン交換訪問を前にしての感想　いいだ・もも　112
「抗日暴動」のアジア的構造〈下〉——インドシナ・フィリピン・インドネシア　北沢洋子　124
読者欄　143
編集後記　〔148〕

69号

一九七四年五月号
（一九七四年五月一日発行）

【特集　『資本論』——その現代的位相】
価値形態論と物象化——『資本論』の読み方をめぐって　杉原四郎／清水正徳／廣松渉　5
フェティシズム論について——コントとマルクス　今村仁司　16
『資本論』原蓄章と共同体論——世界史認識の転回構造　園村奎　28
マルクス・エンゲルスと革命ロシア——一八八二—八四年　和田春樹　41
書評　菅孝行著『騒乱のフォークロア』　綱沢満昭　54
正史'74　56
マルクス研究の二、三の問題点——坂間真人論文に応える　岩淵慶一　59
住民闘争の過程と地平——農民闘争の再発生
山口武秀（住民闘争研究会）／中村幸安（明

大教員） 71
「合法・非合法」活動の定義について――敵の文明の体系から脱出せよ　太田竜 90
総破壊の使徒バクーニン――〈第三部〉革命的社会主義　千坂恭二 99
読者欄 146
編集後記 〔148〕

70号

一九七四年六月号
（一九七四年六月一日発行）

【特集　ルカーチ――「階級意識論」とその時代】
ルカーチとウェーバー――客観的可能性のカテゴリーをめぐって　湯浅赳男 5
ボリシェヴィキ化とドイツ共産党の文芸政策――ハインツ・ノイマンの栄光と没落1　池田浩士 15
革命過程における「大衆意識の変化」――レーニン・トロツキー・ルカーチをめぐって　長崎浩 23
三〇年代からみたルカーチ・コルシュ――同時代精神の行く末　清水多吉 35
民衆のユートピアと社会革命の磁場――一九一〇年代ドイツ表現主義とレーテ運動　結城博音 43
正史'74 61
書評　M・ホルクハイマー著、久野収訳『哲学の社会的機能』　山泉進 64
価値形態論と物象化〈完〉――『資本論』の読み方をめぐって　杉原四郎／清水正徳／廣松渉 66
《国民春闘》総括――民同型運動の転換軸　永瀬庸一 81
国家管理の危険なたくらみ――「国民総背番号制」の現状と問題点　城瀬滋雄 89
〝朝鮮征伐〟を征伐する――サンデー毎日・日産プリンスへの糾弾　宋斗会 99
無罪をはらすのではなく恨みこそはらせ――ル

ポ・松永優氏デッチ上げ裁判を考える人々の集い　桐野敏博　107
藤井斉と海軍青年将校運動――「五・一五事件」序説　山崎博　119
読者欄　146
編集後記　〔148〕

71号

一九七四年七月号

（一九七四年七月一日発行）

【特集　現代民族主義派運動批判】
戦後の終焉と右翼運動――現代民族派批判・序説　菅孝行　5
天皇制批判をめぐる民衆と知識人――《企業＝国体》をのりこえるもの　久野収　14
【「大東亜共栄圏」の夢を喰う男たち】
田中清玄――石油利権をめぐる一方の雄　北山美晴　25
矢次一夫――〝台湾ロビー〟の黒幕　野沢史朗　35
児玉誉士夫――戦後右翼のゴッド・ファーザー　阿岐六郎　44
笹川良一――国際勝共連合の名誉会長　浅川宏　53
現代民族主義派運動・資料　59
書評　シェルドン・ノビック著、中原弘道監訳『原発の恐怖』　よしだともや　80
書評　森崎和江著『奈落の神々』　宮田登　82
正史'74　84
天皇制国家と社会的危機の再編――古代部民制にみる二重構造化　結城博音　87
アイヌモシリ、建国↕建軍の弁証法――八木竜美君の白老町長襲撃行動について　太田竜　106
《投稿》アイヌモシリへ向かって　八木竜実　114
『ド・イデ』と自己疎外論の超克（一）――岩淵慶一氏の御批判にも応えて　廣松渉　117
観念と歴史――福永武彦論・序説　黒木龍思　132
読者欄　146
編集後記　〔148〕

72号
一九七四年八月号
（一九七四年八月一日発行）
【特集　74年・深化する社会叛乱】
キリスト教会告発闘争――闘いの軌跡と課題　高尾利数　5
狭山差別裁判闘争――〈無罪＝惨勝〉を超えるもの　亀井トム　14
医療救対運動――恐るべき〝獄原病〟の実態　山田真　25
女性解放運動――女の自立と対の回復　河野信子　37
保安処分反対闘争――進行する棄民政策　高杉晋吾　45
生協告発運動――臨労組の闘い　法大生協臨労組　54
高浜入干拓反対闘争――政治汚職の暴露へ　高浜入干拓反対同盟　61
無認可保育運動――子育て・社会活動・階級形成　仙波輝之　69
釜ヶ崎の現実――未完の断章　寺島珠雄　77
「葬式暴動」の体験――革命の主体形成と仏教　丸山照雄　84
プラナリア通信・創刊号――「地上―地下」的回路の進化を　滝田修　91
書評　胡縄著、小野信弥他訳『中国近代史――一八四〇～一九二四』　吉田富夫　98
書評　内田弘著『危機の文明と日本マルクス主義』　園村奎　100
パンサー分裂後の黒人運動――ＢＬＡ（アメリカ）の闘い　類家治一郎　102
『ド・イデ』と自己疎外論の超克（二）――岩淵慶一氏の御批判にも応えて　廣松渉　113
親鸞における〈仮〉の認識　阿満利麿　124
編集後記　〔140〕
73号
一九七四年九月号
（一九七四年九月一日発行）

【特集　保安処分体制批判】
〈刑法改悪＝保安処分〉批判の歴史的視座——目的管理体系の落し穴　園村奎　5
保安処分——恐るべきその実態——救援活動のなかから　山田真　15
収奪・治安管理としての社会保障——保安処分としての医療のシステム化　楡村達男　25
公衆衛生活動と保安処分——保健婦活動と管理社会　汐見素子　37
東大病院人体実験を告発する——精神外科廃止運動のさらなる深化へ　木村健一　45
生きて奴らにやりかえせ——差別抑圧の現実から反撃せよ！　山谷現闘医療班　53
〈刑法改悪＝保安処分〉関係資料　67
正史'74　83
会議の国際主義か行動の国際主義か——日本・アラブ文化連帯会議をめぐって　津村喬／北沢正雄／松田政男　86
部落解放の新たな位相——階級社会と部落差別　植松安太郎　111
狭山差別裁判1　差別犯人・真犯人追及の方向へ　亀井トム　123
『ド・イデ』と自己疎外論の超克（三）——岩淵慶一氏の御批判にも応えて　廣松渉　133
読者欄　146
編集後記　〔148〕

74号

臨時増刊号〔一九七四年一〇月〕
「生産管理闘争——資料・戦後革命」
（一九七四年一〇月一日発行）
大衆実力闘争・労働者自己権力の復権へ——まえがきにかえて
戦後革命資料編纂委員会（仙波輝之）　5
【Ⅰ生産管理闘争の一般情勢】
『労働年鑑』（昭和二十二年版）　10
【Ⅱ第一次読売争議】
「争議のトップは新聞から」　38
民主化闘争から自主管理へ　41

資本の側からの経過報告 46
占領政策と闘争の波及性 68
【Ⅲ京成電鉄闘争】
「実録・京成争議日記」 82
「京成電車のユニークな戦術」 96
わが闘い・わが勝利 99
経営協議会設置までの過程 107
私鉄経営者の回想 112
【Ⅳ鶴鉄闘争と四相声明】
鉄鋼労働者の実力闘争 116
四相声明 131
鶴鉄労組・声明と抗議 131
幟を打立て鉄板押鳴らし闖入せり 134
不真面目な当局の態度 136
「生産管理と経営参加の現状」 137
【Ⅴ三菱美唄闘争】
ドキュメント・人民裁判への道 142
炭鉱争議の先駆性 160
北海道労働部の追跡調査 164
【Ⅵ高萩炭鉱闘争】
生産管理の中心・炭鉱 180
座談・経営協議会要求闘争から 183
労働者対石炭庁の攻防 188
【Ⅶ生産管理闘争の位置づけ】
小池浩「労働者生産管理の限界」 194
宮島次郎「生産管理の波紋」 199
「全国化し複雑化した生産管理」 205
末弘厳太郎「政府の生産管理対策」 206
大河内一男「生産管理の基本問題」 209
【Ⅷ生産管理闘争の戦略的位置】
『エコノミスト』誌「争議の焦点・生産管理」 218
関根弘「ストライキ論」 223
『ストライキ戦略・戦術』より 228
斎藤一郎『二・一スト前後』より 232
斎藤一郎『戦後労働運動史』より 236
海野幸隆編『戦後日本労働運動史』より 239
田川和夫『日本共産党史』より 242
年表 247

75号

一九七四年一〇月特大号
「虚構と作為——七〇年代フレームアップの構造」
（一九七四年一〇月二〇日発行）

七〇年代フレームアップの構造——虚構解体から国家解体へ　桐野敏博　5
《土田邸・日石郵便局爆破》事件——権力の謀略に総体的反撃を　松沢哲成　19
《警視総監公舎爆破未遂》事件——実録・虚構解体　福富弘美　77
《朝霞自衛官殺害》事件——只今暴露中・中間奉告　山口百恵男　138
沖縄・松永優裁判闘争——「白」が白であり続ける世界を　松永優を守る会　172
三里塚・東峰十字路裁判闘争——我々は「じっと我慢の子」ではないのだ！　三里塚青行隊　203
七〇年代権力弾圧の様態——警察のCR作戦とフレームアップ　小川一　228
〈共謀共同正犯〉理論批判——「よど号奪取」事件の場合　川端和治（弁護士）　236
〈犯人蔵匿罪〉の問題性——すべてを官憲の恣意のままに　福富弘美　245
〈爆取〉捜査のための別件逮捕・勾留——「土田邸・日石郵便局」事件の場合　井上庸一（弁護士）　253
爆取事件の科学鑑定の謀略性——そのフレームアップに占める位置　石山才（理学博士・化学専攻）　261
年表　269
資料　集団犯罪の捜査に関する諸問題　法務総合研究所　(1)

76号

一九七四年一一月号
（一九七四年一一月一日発行）

【特集　教育叛乱——その原点と現在】
「大学闘争」以後の日々のたたかいのなかで

――「現場」の諸課題にいかにかかわるか　折原浩　5
国民教育運動批判――差別を拡大する教師聖職論　高橋勉　34
入船小・指導要録撤廃の闘い――斜線記入は何を問うか　向井承雄　43
入船小闘争・資料　51
良妻賢母主義教育批判――家庭科の男女共修を　曳地稜子　70
〈高校闘争〉以後――闘いの持続の主体的根拠を求めて　新潟高校裁判闘争を支える会　77
書評　松沢哲成・鈴木正節著『二・二六と青年将校』　有馬学　88
『ド・イデ』と自己疎外論の超克（四）――岩淵慶一氏の御批判にも応えて　廣松渉　90
「国民総背番号」体制への新たな布石――プライバシー保護法を粉砕せよ　城瀬滋雄　106
狭山差別裁判2　二審・最終弁論　亀井トム　118
プラナリア通信・第2号　滝田修　128
編集後記　（K）　〔132〕

77号

一九七四年一二月号

（一九七四年一二月一日発行）

【特集1　『ドイツ・イデオロギー』の成立と共産主義の地平】
望月清司氏の『ド・イデ』論をめぐって　廣松渉　5
マルクスの歴史理論――市民社会論と階級闘争論　今村仁司　14
『ドイツ・イデオロギー』研究と私の立場――「唯物史観」の方法に関連して　竹村民郎　25
『ドイツ・イデオロギー』の共同体論――物象化論的視座への定位　山本啓　38
『ドイツ・イデオロギー』編成史――廣松版の歴史的意義　山崎カヲル　59
書評　菅孝行著『解体する演劇』　佐伯隆幸　65
【特集2　虚構と作為――権力犯罪を告発する】
戦後冤罪事件論　後藤昌次郎　67

狭山差別裁判3　自己破産の矛盾充満の怪文書寺尾判決を批判する　亀井トム　85
七〇年代〈爆取〉弾圧の実態――その現代的反革命性について　桐野敏博　102
殺人罪フレームアップの完結を許すな――11・7判決に見る裁判所のデッチ上げ完遂を糾弾する　松永優（被告）　113
情況・総目次　126
編集後記　（K）　〔132〕

78号

一九七五年一・二月号
（一九七五年二月一日発行）

朴政権の価値体系と韓国の民衆　藤森一清　5
日本資本主義と朝鮮――植民地経済の形成と国家　沢田明子　14
大村収容所その屈辱を訴える――朝鮮と日本との間にあるものは何か　宋斗会　67
書評　『実録虚構解体其之二』　亀井トム　74
反アナキズム論・序説――唯一的革命の神話と構造　千坂恭二　76
原蓄論と個体的所有　柚岡正禎　92
『ド・イデ』と自己疎外論の超克（五）――岩淵慶一氏の御批判にも応えて　廣松渉　113
狭山差別裁判4　寺尾判決の狂燥――誰の精神鑑定が必要か　亀井トム　122
連載時評　神話と歴史認識（第一回）――《知識人》の位相について　野田茂徳　138
編集後記　148

79号

一九七五年三月号
（一九七五年三月一日発行）

【特集　春闘構造の止揚にむけて――新左翼労働運動の現在】
世界の経済――三十年代と七十年代と――インフレ不況の意味するもの　岩田弘／冨岡倍雄　5

保革連合「国民春闘」を解体せよ！――春闘方式を歴史のくずかごへ　村木昇　17
「弱者」攻撃と闘う論理・組織　滝沢範治　24
春闘方式と七五春闘　清水一　30
教育労働運動再生への道――運動の退廃の根源を断て　河島仁　38
千日を超えた中公闘争
小園泰丈（中央公論社労働組合有志）　47
東映契約労働者（臨工）の烽火――東制労闘争のプロパガンダ
東映東京制作所労組（東制労）　57
苦悩する雑誌記者――我々は臨工だ
朝倉喬司（働く記者の会）　67
企業爆破事件の政治的性格――フレームアップと謀略工作についての警戒心を強めるために
日田玄葉　74
「狼」の「三菱爆破」と自民党政府の動揺
太田竜　83
狭山差別裁判5　近世部落形成史論を巡って（その一）――徳川時代にはどんな絶対主義があったのか？（上）　亀井トム　92
赤堀差別裁判糾弾！（上）――無実の「精薄」「精神障害者」への死刑攻撃を打ち砕け
結城満　110
緊急インタビュー・中国新体制をめぐって――菅沼正久氏に聞く人民民主主義からプロ独へ　122
編集後記　140

80号

一九七五年四月号
（一九七五年四月一日発行）

【特集　戦後価値意識の再検討】

ノンセクト大衆運動の昂揚と崩壊――私的倫理主義政治の自滅　丸山照雄　5
非在的な共同性の陥穽　宮本隆　14
市民的価値意識を斬る！――「本工の論理」としての近代市民社会
五木寛之／寺山修司　21
現本質者のための方法叙説――自立思想をこ

えるものへ　中村文昭　37
過渡期の市民社会認識――「聖家族」研究ノート　黒沢惟昭　64
物象化論とシュティルナー――唯一者と唯物史観の相剋と異相　千坂恭二　73
マルクス学の最近の動向――新たなる潮流の芽ばえ　今村仁司／山本啓／廣松渉　86
狭山差別裁判6　近世部落形成史論を巡って（その一）――徳川時代にはどんな絶対主義があったのか？（下）　亀井トム　118
赤堀差別裁判糾弾！（中の一）――赤堀事件は差別裁判であり、保安処分である。　結城満　136
連載時評　神話と歴史認識（第二回）――《反動主義》の舞台裏　野田茂徳　142
編集後記　148

81号

一九七五年五月号
（一九七五年五月一日発行）

【特集　世界叛乱の新地平】
新段階に入った世界階級闘争――インドシナ・アラブ情勢を中心に
北沢正雄／松田政男／山崎カヲル　5
アメリカ帝国の今日　北沢洋子　25
西ドイツSDSとその後　福沢啓臣　41
イタリアの〝危機〟とPCI《イタリア共産党》の「歴史的妥協」路線　野田茂徳　55
アフリカはどこへ行く　北沢正雄　64
キューバにおける人民権力機関の創出　山崎カヲル　84
エリトリア解放戦線――帝国主義、新旧植民地主義、封建制、シオニズム、ならびに、黒いプチ帝国主義に反対するエリトリア人民の不屈のたたかい　藤本治　96
プロレタリア民主主義・プロレタリア独裁――岩田氏の著書『労働者自主管理』によせて　石井保男　108
書評　竹村民郎編『経済学批判への契機』　大井正　122

『賢人ナータン』考――転換の基軸を求めて　高尾利数　125
連載時評　神話と歴史認識（第三回）――パスカリーニ的世界と中ソの鏡　野田茂徳　139
編集後記　148

82号

一九七五年六月号
（一九七五年六月一日発行）

【特集　国家論への一視角】
ファシズムと現代国家――現代国家の考察　浅田光輝　5
民族と国家――その歴史性の相互連関について　湯浅赳男　14
『資本論』の論理と国家論――国家論カテゴリーの確立に向けて　千坂恭二　27
「生涯教育」論批判序説――教育と国家に関する覚え書　黒沢惟昭　38
プロレタリア民主主義・プロレタリア独裁（二）――岩田氏の著書『労働者自主管理』によせて　石井保男　48
現本質者のための方法叙説（下）――自立思想をこえるものへ　中村文昭　60
「黙秘」の思想　太田竜　85
民族解放サンディーノ主義者戦線　ニカラグアからの通信　94
狭山差別裁判7　踏みこむ勇気のなかった弁論――手もとの武器もさびついている　亀井トム　104
赤堀差別裁判糾弾！（中の二）――赤堀事件は差別裁判であり、保安処分である。　結城満　117
連載時評　神話と歴史認識（第四回）――精神の明晰そして憩ひと想ひの午後　野田茂徳　126
編集後記　132

83号

一九七五年六月臨時増刊号

「国家原罪としての天皇制――挽歌を奏でる呪縛の標的」

（一九七五年六月二〇日発行）
明治前期の天皇制——天皇輔弼体制を中心にして　原口清　6
神山茂夫天皇制分析の検討——いわゆる〈二重の帝国主義〉論をめぐって　津田道夫　33
戦略論争と天皇制認識——「イデオロギーとしての天皇制」の諸水準をめぐって　津村喬　59
農民の天皇意識——天皇制を支えたのは本当に農民だったのか？　山口武秀（編集部インタビュー）　71
沖縄と天皇制——引き裂かれた民族の復権　新里金福　79
朝鮮人に天皇制は意識されていたか　安宇植　91
天皇制呪縛の二重性——近代身分制と、階級構造における天皇と部落　植松安太郎　102
「日本」「天皇」「天皇陵」　鈴木武樹　111
反天皇詩——おれの騙された少年のいのちよ　井之川巨　120
象徴制天皇論の現在——宗教・文学の視角から　丸山照雄　131
天皇・長崎——そして私　美輪明宏　140
信仰の問題としての天皇制　西田真因　147
幻想と神話の復権こそが——もしくは変革の原基としての天皇とは　鈴木邦男　158
〈尊王論〉ノート　片岡啓治　166
藁の天皇——降りながら自ら亡ぶ雪のなか大祖《おお》父《ちち》の瞠《み》し神をわが見ず　寺山修司　176
再び脚光を浴びる——天皇の戦争責任　長文連　184
国家としての天皇——象徴論として　浅田光輝　198
資料　軍人勅諭　206
資料　教育勅語　208
資料　戦陣訓（せんじんくん）　208
資料　終戦詔勅　210
資料　天皇の人間宣言　210
資料　論争解説　212
資料　天皇制論争史年表　214

84号

一九七五年七月号

（一九七五年七月一日発行）

【特集　科学論の里程標】

科学社会学の展開　村上陽一郎　5

科学と社会――六〇年代前半の論争を巡って　中村禎里　15

科学と方法――一般論と一般法則との位置づけ　三浦つとむ　30

科学者の自然発生的哲学――今村仁司『歴史と認識―アルチュセールを読む』によせて　阪上孝　42

書評　小関智弘著『粋な旋盤工』　鎌田慧　54

沖縄闘争の新たな質を問う――沖縄労働者を囲んで　金城英興（沖縄運輸労働者）／A（全労活事務局員）／B（全電通活動家）／C（全電通活動家）／D（全自交活動家）　56

国士舘民主化闘争と天皇の軍隊に虐殺された久米島住民の問題　桑田博（国士舘民主化闘争代表）　67

エリトリア解放戦線――帝国主義、新旧植民地主義、封建制、シオニズム、ならびに、黒いプチ帝国主義に反対するエリトリア人民の不屈のたたかい（中）　藤本治　72

社会主義の原像と革命ロシア　山之内靖／和田春樹　89

プロレタリア民主主義・プロレタリア独裁（二）――岩田氏の著書『労働者自主管理』によせて　石井保男　107

狭山差別裁判8　謀略の覗き窓――時間帯の狂乱――判決はそこで決潰している　亀井トム　120

連載時評　神話と歴史認識（最終回）――「寓話」と「悲劇の目撃者」　野田茂徳　134

編集後記　140

85号

一九七五年八月号

（一九七五年八月一日発行）

阿Q外伝――わが「市民主義」　丸山照雄　37
プロレタリア革命運動における党派闘争の論理　革命的労働者協会　49
プロレタリア革命と党派闘争
日本革命的共産主義者同盟（革命的マルクス主義派）　64
反帝反社帝世界革命戦争の一大前進＝中国継続革命＝根拠地化・インドシナ革命戦争の勝利に、プロレタリア単一党建設――建軍・攻撃的蜂起の前進でこたえよ！
塩見孝也（共産主義者同盟赤軍派（プロ革）議長）　84
パレスチナ革命の現段階――PFLP＋日本赤軍　北沢正雄　106
暴力考　木下半治／浅田光輝　126
情況総目次　142
編集後記　148

87号

一九七五年一〇月号
（一九七五年一〇月一日発行）

（対談）政治は死滅するか――人間の本源的存在が問うもの　植谷雄高／秋山駿　5
SDS後の西ドイツ　福沢啓臣　18
エリトリア解放戦線――帝国主義、新旧植民地主義、封建制、シオニズム、ならびに、黒いプチ帝国主義に反対するエリトリア人民の不屈のたたかい――（下）の一　藤本治　31
マルクスのプロタリアート観形成をめぐって――『ヘーゲル国法論批判』研究ノート　黒沢惟昭　51
マルクス学説の補正と廣西理論　坂間真人　64
民族派からの発言――「人間論」としての政治倫理――長崎浩「両極としての政治と倫理」をめぐって　山本次郎　77
ミステリー・日共と学会の合意劇――かげにうごめく金脈の巨魁　深川一平　85

「幼帝」来沖と沖縄――〝素朴〟凶器論　赤嶺秀光　89
東アジアの反帝闘争と朝鮮人民の闘い――「日韓」一体化路線の犯罪性　安宇植／北沢洋子／太田勝洪　97
狭山差別裁判10　差別犯人のいない差別裁判などない――荻原佑介の活動を顧みて　亀井トム　115
赤堀差別裁判糾弾！（下の一）――精神鑑定を巡って　結城満　128
連載時評第一回　権力が想像力をとる　松田政男　136
情況総目次　143
編集後記　148

88号

一九七五年一一月号

（一九七五年一一月一日発行）

【特集　人民遊撃戦論構築のために】

ロシア革命と軍隊――労農赤軍の歴史的位置　藤本和貴夫　5
ポスト＝ヴェトナムの米・朝鮮半島戦略の実相　小山内宏　13
自衛隊の内的構造とその戦略　藤井治夫　20
国家警察軍としての警察　速見勇　30
人民に牙を向けた天皇の厳戒体制――予防検束とライフルと毒ガスと　救援連絡センター　103
日本共産党の五一年綱領と軍事方針　大竹史郎　48
朝鮮戦争と日共の軍事方針――一兵士の立場から　城戸昇　56
階級総力戦争論序説――人民兵学＝現代ゲリラ戦争を開始せよ！　蔵田計成　65
都市ゲリラの戦術と戦例――トゥパマロス民族解放運動　山崎カヲル訳　92
資料1　コミンテルン論文（1）――プロレタリア的自衛活動の問題をあきらかにしなければならない　L・アルフレッド　112
資料2　コミンテルン論文（2）――革命的活

動の非合法条件にたいしてどのようなやりかたで準備してはならないか　O・ウェーバー　118
資料3　50年代日本共産党文書――中核自衛隊の組織と戦術　124
資料4　メーデー事件の軍事的教訓　大橋茂　134
資料5　自衛隊野外令第一部（抜萃）　139
書評　山口武秀著『権力と戦う住民――高浜入干拓反対闘争』　丸山照雄　167
書評　査証編集委員会編『赤軍ドキュメント――戦闘の向示録』　細谷未知男　168
寺山修司・海外対談シリーズ・第一回　フランスは今どこにいるか――五月革命／ポルノ／マルクス主義
ジャン・マリー・ドメナック（「エスプリ」誌主幹）／寺山修司　170
連載時評第二回　権力が想像力をとる
松田政男　181
編集後記　188

89号

一九七五年一一月臨時増刊号

「現象学特集」

（一九七五年一一月三〇日発行）

現象学とは何か　立松弘孝　5
フッサールの『或る夜の対話』草稿をめぐって
――相互主観性の現象学の立場　新田義弘　54
ハイデッガーと現象学　渡辺二郎　67
近代思想史の中の現象学――『ヨーロッパ諸学の危機と超越論的現象学』をめぐって
木田元／生松敬三　90
現象学の再検討　細川亮一　108
「意味」の現象学――フッサールとハイデッガーをめぐって　足立和浩　141
マルクスの『要綱』における物神性批判について
ピエル・アルド・ロヴァッティ／竹内良知訳　170
論理学絶対主義の批判
テオドール・W・アドルノ／三島憲一訳　181
美学の現象学　足立美比古　214

表現――『知覚の現象学』に即して　加茂英臣　235
メルロー＝ポンティと現象学
田島節夫／足立和浩　249
書評　エドムント・フッサール著、長谷川宏訳『経験と判断』　千田義光　277
書評　市川浩著『精神としての身体』　国分幸　282
書評　チャン・デュク・タオ著、竹内良知訳『現象学と弁証法的唯物論』　足立美比古　284
書評　山崎庸佑著『現象学の展開』　松井良和　288

90号

一九七五年一二月号
（一九七五年一二月一日発行）

【特集　差別支配の根基を撃て！】

差別構造における支配と表現
土方鉄／津村喬　5
狭山差別裁判闘争――今、問われているもの
中山重夫／亀井トム／今出信吾　29
資料　最高裁は14の新事実を審理せよ！――狭山差別裁判取消し、無実の石川一雄即時釈放要求中央闘争委員会発行『狭山差別裁判23』より抜萃・転載　40
資料　10・31寺尾差別判決糾弾・狭山完全勝利――中央総決起集会への基調提案と集会宣言　54
資料　10・31狭山中央総決起集会へのアピール　56
資料「狭山事件」の口頭弁論・事実審理と石川一雄さんの即時保釈を要求する署名とカンパ（要請文全文）　59
資料「狭山事件」の全ての証拠の開示を要求する署名とカンパ（要請文全文）　60
共産主義運動の旋回軸としての狭山闘争
伊達邦彦　62
八鹿闘争・その総括と今後の方針　村田拓　75
民族差別の構造とその背景　桑原重夫　85
11・22在日韓国人留学生・青年不当逮捕事件に対する抗議声明　97
資料集「狭山事件」と「丸正事件」　宋斗会　98

天皇と朝鮮、そして「消えたナポレオン像」　由利静夫　101
宗教者の立場として――天皇制と差別　塚田理　109
狭山差別裁判11　権力犯罪告訴告発こそ正常の道――続・荻原佑介の活動を顧りみて　亀井トム　118
書評　中村尚司著『共同体の経済構造』　山本啓　133
プロレタリア民主主義・プロレタリア独裁――岩田氏の著書『労働者自主管理』によせて（第四回）　石井保男　135
無明からの出発――宗教とマルクス主義　真継伸彦／丸山照雄　150
ネチャーエフとブルガリアの革命運動　左近毅　167
京浜工業地帯・連続レポート・第一回　ヤシカにみる「不況」下の反合闘争　鎌田慧　178
編集後記　188

91号

一九七六年一月号
（一九七六年一月一日発行）

【特集　反原発――近代科学技術を撃つ】

原発反対運動のめざすもの――科学技術にかかわる立場から　高木仁三郎　5
原子力発電所――この巨大なる潜在的危険性　水戸巌　14
世界の核戦略の現実とその重負荷　小山内宏　28
原子力社会の構図　松岡信夫　35
公聴会の一二五日――アメリカの原子炉安全論争　山本智　45
ウラン買付けにみる日本原子力産業の戦略　北沢洋子　59
インタヴュー　世界環境破壊の現況と公害反対運動　宇井純　75
実践的住民闘争論序説――女川原発反対闘争の戦闘体型　矢崎久　92
住民闘争の駆動力と階級意識――住民闘争の

壁はいかに破られるべきか　山口武秀／菅沼正久／松崎国雄　105
ウェーバーの歴史方法論――リッカート歴史哲学との関連に即して　佐伯守　119
編集後記　148

92号

一九七六年二月号
（一九七六年二月一日発行）

【特集　支配の危機と先行する改悪刑法】

刑法改「正」の歴史的源流　永野周志　5
農業破壊・労災職業病・保安処分――合理化・本工主義・産業医・行政など、差別イデオロギーと構造の実態を衝く　高杉晋吾　17
刑法の治安法化――法原理の破壊と破防法　井上正治／浅田光輝　41
法に「なじむ」「なじまない」ということ　清水多吉　50
先行的弾圧と闘う視座　日置伊作　59
座談会　代用監獄の実態を衝く！　前原和夫（「69年ピース罐爆弾」フレームアップ事件「被告」）／加納良昭（「富士高放火」フレームアップ事件「被告」）／古瀬駿介（弁護士　東京三会合同代用監獄調査委員会）／代用監獄パンフ編集委員（A・B・C・D）／水戸巌（司会、救援連絡センター）　71
入管体制と「刑法改正」　「刑法改正」に反対する市民連合　82
刑法改「正」保安処分と釜ヶ崎　敷津潮　90
書評　秋山駿第一対談集『文学への問い』　芹沢俊介　100
三里塚空港――その強制収用は完全に非合法　102
国際反革命機構＝ＩＣＰＯ　速見勇　104
資料１　大韓民国法令集　金栄洙編　109
資料２　各国の治安法　139
資料３　優生保護法　リブ新宿センター編　149
資料４　大衆闘争と治安動向　158
情況総目次　176

編集後記　180

93号

一九七六年三月号

（一九七六年三月一日発行）

【特集　帝国主義の現局面・IMF体制以後】

インフレーションとその帰結――日本資本主義の現状　川上義夫　5
国際通貨体系と世界資本主義の現段階――キングストン合意の基本的意義（その一）　下条寿郎　17
危機における日本資本主義の現況　鎌倉孝夫　29
戦後通貨体制崩壊の現局面　岩田弘　41
理念ゼロの南進――東南アジアの私的経験から　南浦泰　51
細見英氏追悼　細見経済哲学とマルクスの思想構造　稲村勲　60
京浜工業地帯・連続レポート・第二回　住友・追浜造船所――同盟支配への反攻　鎌田慧　68
周総理の死と七六年一月の中国　菅沼正久　81
アッピール　日本化学蔚山工場四月本操業阻止に向けて！
青山正（「富山化学の公害輸出をやめさせる」実行委員会）　88
書評　浅田光輝著『市民社会と国家』　栗原幸夫　90
中国の性解放――対的幻想と共同幻想の弁証法　加々美光行　92
W・ライヒとオルゴン理論――W・E・マン『オルゴン・ライヒ・エロス』をめぐって　友近龍男　110
科学と社会――北京シンポジウムとパグウォッシュ会議　中村禎里　125
プロレタリア民主主義・プロレタリア独裁（第5回）――岩田氏の著書『労働者自主管理』によせて　石井保男　141
編集後記　148

94号

一九七六年四月号

（一九七六年四月一日発行）

【特集　マルクス主義の今日的復原】

認識と実践の哲学的根源　鈴木伸一　5

カール・ポラニーと経済人類学　山崎カヲル　20

フォイエルバッハ―マルクス関係と新MEGA　山本啓　51

マルクスにかわるフォイエルバッハ――論説「シュトラウスとフォイエルバッハとの審判者としてのルター」の著者について　ハンス・マーティン・ザス／山本啓訳・解説　81

物質の自己運動としての認識活動　村田一　94

モルガン・エンゲルスと家族論　青山道夫（九大名誉教授）／江守五夫（明大教授）／山本啓（司会）　111

共同体論の現在　松本健一　33

寺山修司・海外対談シリーズ・第二回　犯罪としての知識　ミシェル・フーコー／寺山修司　43

坂間真人氏追悼　『情況』編集部　136

坂間真人氏追悼　故坂間真人君のことども　飯田裕康　138

坂間真人氏追悼　坂間真人論文の位相――思い出と嘆きと　廣西元信　140

坂間真人氏追悼　坂間眞人君を偲んで　廣松渉　147

書評　岩田昌征著『社会主義の経済システム』　中山弘正　149

アッピール　アジア政治犯即時釈放のために！　アジア政治犯情報センター　153

国民春闘路線の排外主義的本性をあばき出せ！　村木昇　155

生身の存在感覚を語る！　佐木隆三／中上健次／秋山駿（司会）　163

編集後記　180

95号

一九七六年五月号

（一九七六年五月一日発行）

【特集　革命と芸術——二〇—三〇年代文化運動の今日的意味を問う！】
超現実主義とマルクス主義——ナヴィル『革命と知識人』をめぐって　湯浅赳男　5
消された一作家——オットヴァルト——ブレヒトとルカーチのあいだで　野村修　16
時の洗礼を受けて　粟津潔　24
革命ロシアとフレーブニコフ　亀山郁夫　30
座談会　プロレタリア文化運動はなぜファシズムに敗北したのか？——〈リアリズム〉と〈現実〉のあいだ
ユルゲン・エック（彫刻家）／ハンス・ゲルベムート（文化運動家）／小田辺康也（ドイツ文学者）／ヘルガ・ロッテンマイヤー（美術史専攻）／エルヴィン・シャイス（美術評論家）／池田浩士（司会・訳）　37
シェーンベルクとファシズム——音楽の精神と美の物象化　千坂恭二　51
権力と芸術——カタストロフィ期における芸術家の仕事について　津村喬　65
革命の美意識——演劇の遊星教程　田中未知（天井桟敷製作部）　77
演劇と文化——ドラマを孕むものをめぐって　小苅米晛　89
アッピール　鈴木国男君虐殺を糾弾する！　関西救援連絡センター　105
釜ヶ崎からの報告——〝冬〟または越冬闘争　敷津潮　107
ニーチェ・フロイト・マルクス　ミシェル・フーコー／前田耕作訳　108
ロッキード犯罪と独占掠奪論　大門一樹　117
全日本人民に狭山差別裁判を訴える　中山重夫（狭山闘争委員長）　127
いまこそ日韓両政府糾弾！　韓国政治犯救援の闘いを！　関東医科学生〝告発〟上映委員会　131
書評　井之川巨詩集『死者よ甦れ』　植松安太郎　132
書評　マーク・セルデン著、小林弘二・加々美光行訳『延安革命』　赤尾修　134
アフリカ南部・差別支配にみる資本関係

京浜工業地帯・連続レポート・第三回　ゼネラル石油精製――敗北からの出発　北沢正雄　136
'76春　沖縄労働運動の現在　鎌田慧　144
キビ刈りに来た「ニライカナイ」――沖縄・与那国島の〝援農舎〟の提起するもの　志波武人　154
　赤嶺秀光　166
情況総目次　177
編集後記　180

96号
一九七六年六月号
（一九七六年六月一日発行）

【特集　学問の可能性――問われつづける課題】
学問論の地平――学問とは何か　山崎正一　5
イデオロギー問題と社会科学　望月哲也　19
「いい加減」の学問――堅気の人たちのために　福田定良　33
学問と魔術――全共闘以後　丸山照雄　42
権力に奉仕する御用学者たち　生越忠　49
「科学論」の基礎的問題　針生清人　59
書評論文　カッシーラーの問うたもの――『アインシュタインの相対性理論』（E・カッシーラー著、山本義隆訳解説）をめぐって　村上陽一郎　67
国際通貨体系と世界資本主義の現段階――キングストン合意の基本的意義（その二）　下条寿郎　71
冬の雑草（連載1）――獄死した市川正一氏の遺体発見の記録　郡山吉江　92
女神と娼婦のはざまにて――フィリス・チェスラー『女性と狂気』によせて　友近龍男　103
中国天安門事件ノート（上）――〝反革命政治事件〟に見る諸相　林丈人　115
奔流――現場から現場へ　124
権力を知るために1　代用監獄と「自白獲得技術」　西尾漠　128
書評　石塚正英著『叛徒と革命――ブランキ・ヴァイトリンク・ノート』　山本啓　130

書評　渡辺寛著『レーニンとスターリン』　湯浅赳男　132
金芝河・その闇と光――解放の美学　富山妙子　134
日朝「連帯」を超えるもの――二〇年代をめぐって　小田久　152
編集後記　163

97号

一九七六年七月号
（一九七六年七月一日発行）

【特集　こどもとおんな――解放の契機】

【1妻と娼婦――二重存在を生きる女】

子ども――不在の親たち　河野信子　6
女と子の出合い――〈産〉とその周辺　国沢静子　18
子殺しと母性　岡田秀子　33
〈産〉の完結なき社会　深見史　40

【2抑圧か解放か――新しい人間学を求めて】

ウル・キント論――受難と復讐の原像　元型としての人間――幼児論の試み　清水多吉　48
近代子ども観とその成立過程――子ども学としての考察……　芹沢俊介　68
子ども観の歴史を越えて　佐野美津男　82
　山中恒　95

【3闘かいのなかのこども】

革命の後継者――中国の子ども　古島琴子　108
資料紹介　朝鮮民主主義人民共和国幼児保育教育法　古島琴子（解説）　121
若気のいたりで終らないために……――「東京こむぅぬ」の教訓は、今生かされる！　武田美由紀　127
マルクスと子供たち　井上五郎　139
書評　現代子育て考（その一）　松浦民恵　147
書評　鎌田慧著『わが幻影工場地帯』　小関智弘　149
奔流――現場から現場へ　151
権力《やつら》を知るために2　民間調査機関に注目　西尾漠　154
狭山差別裁判糾弾・無実の石川君即時奪還！

——ハンガー・ストライキを闘い抜いて
中山重夫 158
編集後記 163

98号
一九七六年八月号
（一九七六年八月一日発行）

【特集 学校の死滅——「教育論」を超えるもの】
「民主的」教育論の批判視座——マルクス主義教育論の再構築へむけて
クリスチャン・ボードロ／ロジェ・エスタブレ／山崎カヲル訳 5
パリは燃えているか?——フランスにおける《学校》問題とその現実 今村仁司 15
「対話」と文化革命——パウロ・フレイレ『被抑圧者の教育学』をめぐって 花崎皋平 20
教育の可能性を求めて——パウロ・フレイレの文化運動とその思想 楠原彰 30
公教育制度批判の文献紹介 楠原彰 37
現代社会と「学校化」——イヴァン・イリッチ《Deschooling Society》を読んで
竹内良知 40
進歩の儀式化——『学校無化社会』から
イヴァン・イリイチ／鈴木昭彦訳 49
学校無化論とのマルクス主義的対応——教育論の転換のために 山本哲士 63
モスクワ子供の家《ハイム》——研究所について
ヴェーラ・シュミット／福沢啓臣訳 86
中国天安門事件ノート（下）——〝反革命政治事件〟に見る諸相 林丈人 102
亡命の聖地——メキシコの中の〝異国〟メノニータの土地を訪れて 伊高浩昭 112
権力《やつら》を知るために3 敵対から止揚まで——企業の消費者・住民「対策」 西尾漠 120
奔流——現場から現場へ 124
京浜工業地帯・連続レポート・第四回 日産追浜・暗黒工場（上） 鎌田慧 129
冬の雑草（連載2）——一九四七・二・一ゼネストの前後（その1） 郡山吉江 138

99号

一九七六年九月号
（一九七六年九月一日発行）

んの釈放を訴える8・1～7、1週間のハンガーストライキを闘いぬいて　李姫京　167
アッピール　同志の屍をのりこえ我々は前進する――徳野稔氏虐殺糾弾　釜ヶ崎日雇労働組合　171
書評　芹沢俊介『浮力と自壊』　梶木剛　174
冬の雑草（連載3）――一九四七・二・一ゼネストの前後（その2）　郡山吉江　176
暑いパリ　今村仁司　185
権力《やつら》を知るために4　原子力・消費者敵視O・R　西尾漠　190
奔流――現場から現場へ　194
京浜工業地帯・連続レポート・第五回　日産追浜・暗黒工場（下）　鎌田慧　196
編集後記　204

100号

一九七六年一〇・一一月合併号
（一九七六年一一月一日）

【100号記念特集　社会主義と現代――魅力ある社会主義像の構築は可能か】
社会主義とは何か――人間生活=文化の創造としての社会主義　城塚登　5
社会主義と文化　内村剛介／川崎浹／刀禰矢徹（司会）　15
社会主義とユダヤ人問題　好村冨士彦　29
ソ連における資本主義の復活――シャルル・ベトレーム『ソ連における階級闘争』を中心にして　山崎カヲル　41
「後期資本主義」論の構造的問題性（上）――現代社会主義論への道標　山本啓　52
プロレタリアート独裁と現代修正主義――不破哲三「科学的社会主義研究」の批判　いいだもも　66
ソ連における第三世界分析の論理　G・F・キム（モスクワ東洋研究所）／北沢洋子訳　85
社会主義と言語問題――エスペラント運動を通して　栗栖継　91

グラビア　秘録・科学的社会主義への道
木村恒久（構成）／池田浩士（語り）　101
文化大革命の栄光と暗影――陳伯達・林彪失脚を巡って　加々美光行　110
鄧小平批判の論理　矢吹晋　131
シンポジウム　社会主義と経済
岩田昌征／石井保男／太田勝洪／刀禰矢徹（司会）　140
書評　ローザ・ルクセンブルク著、フェリクス・ティフ編、伊藤成彦訳『ヨギヘスへの手紙』1、ダニエル・ゲラン著『革命的自然発生――ゲランのローザ論』　江川潤　171
奔流――現場から現場へ　178
権力《やつら》を知るために5　自警団づくりと法制化の企み　西尾漠　181
冬の雑草（連載4）――失意の再上京　郡山吉江　185
情況総目次　199
編集後記　204

101号

一九七六年一一月臨時増刊号
「ヘーゲル――その思想体系と研究動向」
（一九七六年一二月一日発行）

対談　ヘーゲル哲学の全体像
上妻精／加藤尚武／廣松渉（聞き手）　5
ドイツ観念論とヘーゲル　茅野良男　44
『精神現象学』以前――ヘーゲルの思索と体系への志向　渋谷勝久　61
ヘーゲルの「討論テーゼ」について――体系との関連　中埜肇　77
『精神現象学』における〈社会性〉の発想　加藤尚武　90
ヘーゲルと私　武市健人　110
ヘーゲル論理学の課題――ヘーゲルがカントから受け継ぎ、展開したもの　川村栄助　113
ヘーゲルの歴史哲学――歴史の理性的認識と贖罪の思想　森田侑男　128
「美」と喪失――ヘーゲル美学の再構成

足立美比古 142
ヘーゲルの宗教哲学――さらなる十字架と薔薇とを求めて 米沢穂積 164
ヘーゲルとエーテル説 田辺振太郎 174
ヘーゲルとの私のつきあい 竹内良知 177
ヘーゲルにおける理論と実践の問題 上妻精 180
思いつくまま 樫山欽四郎 200
ヘーゲルと私 藤野渉 202
D・F・シュトラウスのなかのヘーゲル 大井正 204
フォイエルバッハにおけるヘーゲルと反ヘーゲル 船山信一 232
マックス・シュティルナーの弁護 大沢正道 248
ヘーゲルの国家観とアーノルト・ルーゲ――哲学から政治への転換 山本啓 263
チェルヌィシェフスキーの歴史哲学――ロシア・ヘーゲル左派 武井勇四郎 298
ニヒト・ヌールとニヒト 渡辺二郎 316
『ベルリン年誌』に見るヘーゲル学派の展開
フリッツ・シュラーヴェ／石川三義邦訳 318
年表 334
編集後記 阿由葉茂 336

Ⅲ　索引

『情況』執筆者索引・凡例

一、本索引は配列を五十音順とし、外国人名も姓を基準とした。

一、中国語、ハングルなどの原音で読むことが適当と思われる人物について、本文やその他の情報から確実に原音読みが適当と特定できた場合には、それに準じた配列を行った。原音読みが適当と思われるものの、確証が得られなかった場合については日本語読みに準じた配列を行った。

一、旧漢字、異体字はそのままとした。

一、必要と思われる場合には氏名の後ろの（　）内に、誌面で付されていた肩書を補った。複数の記事からの肩書を併記する場合には／で区切った。

一、表記は、号数―頁数の順とした。

一、雑誌の途中で縦書きが横書きの体裁になるなどして、通常とは違う形の頁数が設定されている場合にはページ数に（　）を付した。

一、原本頁数の表記のない場合には、頁数に〔　〕を付した。

（編集部）

『情況』執筆者索引

【あ】

相川勝重　65-137
青柳充(全金本山)　63-67, 68-49
青山武　50-69
青山正(「富山化学の公害輸出をやめさせる」実行委員会)　93-88
青山道夫(九大名誉教授)　94-111
赤尾修　95-134
赤嶺秀光　87-89, 95-166
秋田明大(日大全共闘)　6-86, 8-45
秋山清　30-23
秋山駿　7-48, 43-55, 47-5, 64-94, 87-5, 94-163
阿岐六郎　71-44
明峯哲夫　50-87
朝香雄一郎　26-110
浅川澄子(都立S高前教員)　12-138
浅川宏　71-53
朝倉喬司(働く記者の会)　79-67
浅田光輝　1-47, 19-75, 86-126, 92-41, 11-40, 29-21, 45-41, 55-49, 59-104, 67-21, 82-5, 83-198, 99-141
安里全勝(沖縄大学自治会副会長)　11-90
アジア政治犯情報センター　94-153
(あしたのジョー)　18-164
安曇裕志　16-32
足立和浩　54-5, 89-141, 89-249
足立美比古　89-214, 89-284, 101-142
アドルノ、テオドール・W　89-181
阿部宗悦(女川原発反対同盟活動者会議)　99-94
天沢退二郎(明治学院大講師)　12-55
天野道映　42-59
阿満利麿　72-124
阿由葉茂　101-336
有馬学　47-84, 76-88
アルフレッド、L　88-112
淡路闘争委員会　22-87
粟津潔　95-24
安宇植　83-91, 87-97
安東次男(東京外大教授)　12-42
飯田裕康　94-138
いいだもも　64-35, 68-112, 99-21, 100-66
(異化)　47-〔163〕
生松敬三　89-90
池田浩士(京都大学教養部教官)　8-93, 44-79, 57-20, 61-57, 70-15, 95-37, 100-101
石井暎禧(元医学連書記長)　4-87
石井功子　58-145

石井恒司　40-110, 65-137
石井新二　40-110
石井保男　81-108, 82-48, 84-107, 90-135, 93-141, 100-140
石川寛（社会労働研究所）　63-67
石川三義　101-318
石黒英二（編集部文責）　11-65
石毛博道　40-110, 65-137
石田保昭　46-37
石田米子　39-76
石牟礼道子　34-77
石山才（理学博士・化学専攻）　75-261
イスラエル社会主義組織（マツペン）　51-135
磯田光一　47-14
伊高浩昭　98-112
一条信路　40-41
五木寛之　64-94, 80-21
伊藤一彦　67-64
伊藤京子　60-96
伊藤博（東京東部青婦協）　11-90
伊東守男　26-69, 33-79
稲村勲　93-60
井上清（京大）　12-59, 38-86, 39-88
井上五郎　97-139
井上正治　92-41
井上庸一（弁護士）　75-253
井之川巨　83-120
李姫京　99-167
今井成美　38-113, 46-104
今泉彩　52-152, 53-156, 54-146
今出信吾　90-29
今村仁司　69-16, 77-14, 80-86, 98-15, 99-185
イリイチ、イヴァン　98-49
いれい・たかし　43-86
岩井貞雄　99-85
岩井洋　13-77
岩田弘　6-35, 9-78, 32-57, 79-5, 93-41
岩田昌征　100-140
岩永達郎　18-53
岩淵慶一　35-48, 36-17, 38-83, 44-100, 69-59
ヴァカンス上演準備委員会　10-129
宇井純　91-75
ウェーバー、O　88-118
植垣康博　58-17, 58-52, 58-54, 58-57, 58-126, 58-168
上田吾郎（もっぷる社）　40-55
植松安太郎　73-111, 83-102, 95-132
魚住有年　99-153
ヴォルフ（SDS議長）　2-62
内田剛　39-57
内水護　40-118, 42-105, 43-135, 45-136, 46-138, 47-97
内村剛介　3-23, 22-20, 100-15
鵜戸口哲尚　68-62
宇野弘蔵　32-5
宇野三郎（国際青年共闘）　12-129
海原峻　24-56, 33-134
梅谷朗子　24-36
梅谷昇　62-36
梅林宏道　50-56
梅本俊　21-88
梅割酒男　59-43

浦田伸一 20-25, 20-32
宇波彰 42-93, 65-128
（A） 1-〔100〕, 32-100
A（全労活事務局員） 84-56
江川潤 100-171
江口幹 33-94, 43-65
（S） 4-55, 8-140, 16-164, 17-〔148〕, 20-148, 21-148, 25-155, 26-56, 26-147, 27-104, 31-46, 35-156, 54-〔172〕
エスタブレ、ロジェ 98-5
SDS委員 2-58
エック、ユルゲン（彫刻家） 95-37
（N） 2-〔108〕, 7-124, 22-132, 25-107, 56-〔172〕
榎原均 32-69
海老坂武 2-39, 8-5
（M） 5-124, 15-132, 30-84, 32-101, 32-155, 52-〔180〕
ML同盟東大細胞委員会 8-119
江守五夫（明大教授） 94-111
呉林俊 64-78
欧明 13-144
大井正 81-122, 101-204
大内秀明 6-58, 7-72, 27-148, 30-88, 32-20
大木よね 38-92
大久保そりや 7-111, 9-112, 10-115, 11-115, 12-148, 13-133, 14-149
大崎悟（電通労研、大阪） 11-99
大沢正道 101-248
大城明美 40-84
太田勝洪 39-36, 87-97, 100-140
大竹史郎 88-48
太田竜 1-37, 5-44, 37-91, 38-103, 43-122, 45-126, 47-87, 50-129, 53-23, 54-108, 55-119, 68-103, 69-90, 71-106, 79-83, 82-85, 85-107
大西廣 21-75
大野晋 56-99
大橋茂 88-134
（丘） 36-90
岡田秀子 97-33
岡田弓彦（美学専攻） 17-56
岡庭昇 47-45
岡本柊樹 13-28
小川紳介 3-60
小川一 75-228
奥沢修一 58-126
小倉聖 35-142
生越忠 96-49
長田衛 23-54
小山内宏 52-114, 53-72, 88-13, 91-28
小沢遼子（埼玉べ平連） 56-108, 58-205
小田久 96-152
小田辺康也（ドイツ文学者） 95-37
落合住夫 45-78
乙（日本人） 99-123
小俣昌造（京大全共闘議長＝大学院生） 8-82
折原浩 11-5, 11-24, 12-21, 12-28, 41-5, 50-172, 52-135, 53-111, 54-130, 67-5, 76-5

【か】

ガーソン、マービン　28-96
加々美光行　85-71, 93-92, 100-110
(岳)　35-61
革共同中核派　8-134
革命的労働者協会　86-49
河西勝　40-107
梶木剛　28-21, 99-174
梶村秀樹　28-42
樫山欽四郎　101-200
風倉四郎(日大文理二年)　12-124
仮装被告(団)　34-29
片岡啓治　10-72, 16-110, 17-133, 19-134, 22-39, 27-17, 27-139, 28-5, 31-123, 33-22, 37-5, 42-135, 43-84, 45-71, 51-110, 60-5, 64-94, 67-66, 68-69, 83-166, 85-48
(河童)　49-〔164〕
加藤栄一　38-48
加藤晴康　1-25, 1-32
加藤尚武　101-5, 101-90
加藤倫教　58-77, 58-78, 58-79, 58-126, 58-157
加藤祐三(聞き手)　39-161
金井正男　25-65, 32-103
金村元(元東大医局員、現精神科医師連合)　8-38
狩野健治　99-75
加納良照(「富士高放火」フレームアップ事件「被告」)　92-71
カプキン、アンドリュ　62-36
釜ヶ崎日雇労働組合　99-171
鎌倉孝夫　32-35, 38-22, 93-29
鎌田慧　6-104, 63-56, 67-84, 84-54, 90-178, 93-68, 95-144, 98-129, 99-196
カムラー、ヨールク　19-55
亀井トム　72-14, 73-123, 76-118, 77-85, 78-74, 78-122, 79-92, 80-118, 82-104, 84-120, 85-125, 87-115, 90-29, 90-118
亀山郁夫　95-30
加茂英臣　89-235
加茂雄三　62-47
茅野良男　101-44
柄谷行人　23-30, 37-70, 47-14
「樺太」委員会　66-73
狩々博士　59-162
川尾信夫　2-62
川上義夫　93-5
川崎浹　100-15
河島仁　79-38
川島豪　58-226, 58-227, 58-229
川田洋　21-5, 31-64, 46-86, 54-84, 57-5
川端和治(弁護士)　75-236
川俣晃自　24-94
川満信一(沖縄タイムス記者)　11-90, 13-97
河宮信郎　15 39
川村栄助　101-113
川村二郎(社会主義科学者集団)　18-136
関西救援連絡センター　95-105

菅孝行　5-95, 10-131, 11-129, 23-44, 29-91, 40-138, 45-64, 52-96, 58-205, 63-130, 64-5, 68-64, 68-69, 71-5
関東医科学生〝告発〟上映委員会　95-131
神庭三郎　60-104
菊池黒光　16-150, 17-77, 18-91, 19-117, 20-107, 21-140, 22-113, 23-115, 24-130, 25-110, 26-131, 28-119, 30-105, 52-100
岸田滋　56-110
岸哲利　9-30
木田元　89-90
北沢正雄　62-47, 73-86, 81-5, 81-64, 86-106, 95-136
北沢洋子　46-48, 46-70, 49-16, 54-94, 62-65, 63-40, 66-132, 67-71, 68-124, 81-25, 91-59, 100-85, 87-97
北林寿信　56-145, 57-140
北森拓(PIC・青文連運動)　37-56
北山美晴　71-25
城戸昇　88-56
木下半治　86-126
キム、G・F(モスクワ東洋研究所)　100-85
金思燁　56-91
金達寿　56-61
金栄洙　92-109
木村健一　73-45
木村恒久(構成)　100-101
(Q)　19-101
Q　58-140
(九)　37-〔156〕
救援連絡センター　55-88, 88-103
(教)　43-〔164〕
共産主義者同盟政治局　8-123
杏村剛　40-5
桐野敏博(十月社同人)　48-5, 70-107, 75-5, 77-102
金城英興(沖縄運輸労働者)　84-56
グァディジャ、ナティ・ガルシーア　85-22
草原麦生　40-90, 46-60
楠原彰　98-30, 98-37
(糞)　38-〔163〕
国沢静子　97-18
久野収　71-14
久保綾三　53-72
倉島昇(日本マルクス・レーニン主義者同盟)　28-103
蔵田計成(評論家)　58-205, 86-5, 88-65
クラマー、フリッツ　39-149
クリーヴァー、エルドリッジ　24-28
グリーペンブルク、ルーディゲル　19-55
栗栖継　100-91
栗原幸夫　93-90
クリフ、トニー　6-5, 7-5
クレィム、クルト　19-55
クレーベルト、K　24-42
黒井千次　47-31
黒木龍思　14-104, 41-87, 42-40, 45-84, 46-129, 48-77, 49-87, 51-126,

60-149, 71-132
黒沢惟昭　80-64, 82-38, 87-51
黒田元秀(東大助手共闘)　16-5, 17-5
桑田博(国士舘民主化闘争代表)　84-67
桑原重夫(日本キリスト教団摂津富田教会牧師)　61-17, 61-26, 90-85, 99-58
(ケ)　25-108
「刑法改正」に反対する市民連合　92-82
(K)　3-〔108〕, 4-124, 28-155, 34-70, 53-〔180〕, 76-〔132〕, 77-〔132〕
ゲラン、ダニエル　43-65
ゲルベムート、ハンス(文化運動家)　95-37
甲(朝鮮人)　99-123
高阪進　50-102, 52-98
高知聰　1-89, 2-100, 3-97, 28-61, 29-103
上妻精　101-5, 101-180
河野信子　31-142, 32-138, 36-66, 72-37, 85-5, 97-6
好村冨士彦　30-118, 34-99, 49-102, 65-62, 100-29
郡山吉江　85-14, 96-92, 98-138, 99-176, 100-185
小荊米晛　95-89
国分幸　89-282
木暮仄　37-109
古島琴子　97-108, 97-121
高史明　66-26
高峻石　66-102
小関智弘　97-149
小園泰文(中央公論社労働組合有志)　79-47
後藤昌次郎　77-67
後藤総一郎　56-36, 62-20
後藤孝典　53-46
小西善次　22-5
小西誠(前自衛隊三曹)　19-37
木幡和枝　6-5, 7-5
小林勝次　45-117, 48-34
小山弘健　2-74
ゴルドマン、リュシアン　24-94
コロンタイ、アレクサンドラ　36-116
権寧　43-46
コンフォート、マックス　5-80

【さ】

才木一　3-44, 4-109, 5-109, 6-120
最首悟(東大全共闘)　7-39, 12-59, 19-37, 35-40, 47-31, 66-26, 68-69
在日中国人青年共闘会議　31-94
佐伯省一　27-109, 41-120, 42-118
佐伯隆幸　77-65
佐伯守　91-119
佐伯遼　55-131
酒井与七　20-86
阪上孝　84-42
坂口真吾　13-120, 15-104
坂口弘　58-7, 58-81, 58-83, 58-116, 58-126, 58-159
坂間真人　42-74, 44-101, 51-78, 53-139, 54-61, 65-72, 65-87,

87-64
咲谷漠 63-5
佐木隆三 94-163
作田治朗 55-5
佐久間順三(日大) 6-86
左近毅 90-167
佐々木光 5-5, 10-5
ザス、ハンス・マーティン 94-81
里村暁洋 62-5
佐野美津男 97-82
さらぎ徳二 19-66, 22-54
沢田明子 78-14
沢登誠(日大芸術一年) 8-56
沢村雅精 27-70
三光長治 49-58
山谷現闘医療班 73-53
三里塚・芝山空港反対同盟 51-16, 75-203
三里塚青年行動隊 51-16, 64-119, 75-203
三里塚青年行動隊と《祭り》実行委員会 36-93
(シ) 27-163
(G) 19-148
C(全電通活動家) 84-56
ジェルジ、ルカーチ 27-68
塩川喜信(元全学連委員長、元農学部助手) 8-15, 12-59
塩見孝也(共産主義者同盟赤軍派(プロ革)議長) 58-235, 59-70, 86-84
汐見素子 73-37
敷津潮 92-90, 95-107
実方藤男 10-91, 15-115, 21-118
篠崎武 65-37
志波武人 95-154
芝田陽 42-61
渋谷勝久 101-61
島崎有蔵(革マル派) 8-115
しまねきよし 99-44
島寛征(三里塚青年行動隊) 31-5
島村昭治 40-110
清水多吉 1-15, 2-56, 2-58, 3-54, 4-94, 5-77, 6-86, 7-54, 8-82, 9-30, 11-5, 12-5, 12-59, 14-67, 15-21, 27-5, 27-41, 28-85, 30-5, 33-5, 33-117, 38-82, 42-5, 44-75, 49-46, 59-25, 60-17, 65-68, 70-35, 85-61, 92-50, 97-48
清水一 63-26, 79-30
清水正徳 19-5, 20-54, 69-5, 70-66
下条寿郎 93-17, 96-71, 6-42, 13-5, 14-80, 38-34
シャイス、エルヴィン(美術評論家) 95-37
社会主義労働者同盟 8-127
社青同解放派 8-112
(樹) 35-60
ジュネ、ジャン 24-36
シュミット、ヴェーラ 98-86
シュミット、カール 27-41
シュラーヴェ、フリッツ 101-318
庄司宏(弁護士) 50-106
ジョーンズ、リロイ(Leroi Jones) 6-82
白井健三郎 54-5
白川真澄(共産主義労働者党) 16-123

白羽呉夫　64-67
城瀬滋雄　70-89, 76-106
城塚登　100-5
新里金福　83-79
『人民日報』『紅旗』『解放軍報』編集部　39-178
ジンメル、ゲオルク　37-135
(翠)　31-47
末松太平　30-35
菅井秀次(駒場Ⅲ闘委)　8-65
菅沼正久　39-5, 93-81, 91-105
菅谷規矩雄　6-113, 16-139, 17-67, 18-113, 19-104, 21-75, 27-132, 47-69
杉原四郎　69-5, 70-66
杉山崩圓　59-136
鈴木昭彦　98-49
鈴木邦男　83-158
鈴木伸一　94-5
鈴木武樹(沖青同の国会行動を支持する会)　46-77, 53-32, 56-61, 83-111
鈴木正節　30-62, 53-70
鈴木優一　44-93
須田克子　43-110
須田寛　21-100, 22-101
須藤正　55-54
清宮誠(教育大助手)　8-68, 9-61
関曠野　29-74
(Z)　30-155
瀬戸葦吉　36-116, 51-56
ゼムラー、クリスチャン(ドイツSDS)　15-21
芹沢俊介　85-88, 92-100, 97-68
戦後革命資料編纂委員会(仙波輝之)　74-5
全国医学研究者共闘会議　41-106
仙谷由人(二三期弁護士・反戦法律家連合所属)　32-127
全都定時制高校共闘会議　26-118
仙波輝之　3-60, 6-73, 12-122, 13-117, 17-56, 63-17, 68-17, 72-69, 74-5
宋斗会　70-99, 78-67, 90-98
園原俊三　31-104
園村奎　48-52, 49-62, 50-179, 51-60, 54-45, 54-82, 56-5, 62-108, 69-28, 72-100, 73-5
ソペーニャ　28-77

【た】

(た)　24-68
大東武　40-63, 44-31, 53-68
大門一樹　95-117, 98-150
代用監獄パンフ編集委員(A・B・C・D)　92-71
高尾利数　72-5, 81-125
高木仁三郎　91-5
高杉晋吾　72-45, 92-17
高瀬柳子　53-127
高田靖(都職労)　16-100
高橋和巳(京大教授)　12-105
高橋孝夫　37-25
高橋勉　76-34
高橋道郎　61-114
高橋洋児　65-51

高橋敬基 61-26
高浜入干拓反対同盟 72-61
高浜幸治 16-88
高原浩之 58-139, 68-86
高味文雄 54-33
田川建三 26-16, 29-37, 31-14, 34-86, 36-5, 37-70, 41-37, 61-50, 67-31
滝沢克己(九大教授) 12-111, 35-5
滝沢範治 79-24
滝田修(京大全共闘助手) 8-82, 12-59, 16-58, 24-72, 25-5, 31-30, 72-91, 76-128, 18-153
滝村一郎(教育大全学闘) 9-68
武井勇四郎 101-298
竹内良知 9-45, 89-170, 98-40, 101-177
竹内芳郎(国学院大) 11-40, 12-59, 99-21
武田泰淳 39-116, 39-103
武田美由紀 97-127
竹田美雄 35-129
武市健人 101-110
竹中憲太郎 57-104
竹村民郎 77-25
田島節夫 89-249
立花義孝(日カバ労組) 63-67
辰巳四郎 33-148
龍村仁 85-99
伊達邦彦 90-62
立松弘孝 89-5
田中吉六 2-22, 7-91
田中淳一 51-58
田中未知(天井桟敷製作部) 95-77
田中美津(〈迫る会〉会員) 58-181
田中佑輔 25-56
田辺振太郎 101-174
谷川健一 10-66, 31-49, 34-77, 56-61
種村季弘 33-44
玉城素 28-33
田村正敏(日大全学共闘会議書記長) 4-57
(弾) 41-〔156〕
(地) 36-91
チェルヌイシェフスキー、ヤ 20-115
千坂恭二 43-15, 45-80, 49-31, 62-136, 64-150, 69-99, 78-76, 80-73, 82-27, 86-23, 95-51
千田義光 89-277
千葉宣義 61-26
千葉正健 50-115, 52-121, 55-102
中央公論社労働組合有志(代表 吉田邦宏) 31-97, 50-160, 50-168
長文連 83-184
千代丸健二 57-60
塚田理 90-109
津川敬 50-147
対馬忠行 3-5, 25-126, 36-76, 52-24
対馬斉 20-41, 22-32, 23-23, 24-104, 29-5, 31-110, 37-120
津田道夫 83-33
土本典昭(映画作家) 17 56
綱沢満昭 69-54
津村喬 23-85, 25-74, 39-124, 66-5, 68-27, 73-86, 83-59, 90-5, 95-65
津和生(社会主義労働者同盟) 1-59, 15-80

（T）　1-46, 2-86, 4-108, 5-108, 27-108, 30-85
D（全自交活動家）　84-56
デファルジュ、クロード　9-87
寺島珠雄　72-77
寺林真喜江　58-126
寺山修司　80-21, 83-176, 88-170, 94-43
寺山光広（東大教養二年）　21-114
テリー、エマニュエル　56-124, 57-122, 62-122
輝峻章　18-153
天地正春　57-78
統一被告団　58-158
東映東京制作所労組（東制労）　79-57
東京伝習館救援会（TDQ）　64-122
東大全共闘解放大学準備委員会（土方健）　13-68
藤堂明保　30-71, 39-141
ドゥプラン、ジャン　65-128
堂本文彦　62-83
ドチュケ、ルーディ（ドゥチュケ、ルディ）　2-66, 9-30
刀禰矢徹　100-15, 100-140
ドブレ、レジス　40-84
冨岡倍雄　79-5, 15-29, 49-5, 63-34
富田成　39-149
富山妙子　96-134
戸村一作　3-69, 31 14
ドメナック、ジャン・マリー（「エスプリ」誌主幹）　88-170
友近龍男　93-110, 96-103
（虎）　65-〔148〕
鳥越敏朗（日大経済学部闘争委員長）　8-75
トロツキー、レオン　20-25, 20-32, 28-136

【な】

長尾久　3-32, 16-77
中上健次　94-163
長崎造船　26-85
長崎浩　4-5, 9-97, 11-40, 12-59, 20-5, 26-47, 27-111, 37-135, 43-55, 52-5, 59-5, 60-134, 61-94, 64-131, 67-106, 70-23
永瀬庸一　67-96, 70-81
永田朝夫　13-19
永田次郎　10-48
永田洋子　58-33, 58-34, 58-38, 58-40, 58-126, 58-177, 58-161
長沼行太郎（《国＝語》批判の会）　36-30, 59-112
永野周志　92-5
中埜肇　101-77
中野洋（動労・中核派／動労・千葉気動車区支部委員長）　16-5, 17-5
中村進（全金東京亜鉛支部）　11-90
中村丈夫　2-48, 21-58, 21-66, 22-63
中村禎里　50-29, 84-15, 93-125
中村文昭　48-97, 80-37, 82-60
中村幸安（明大教員）　69-71
中本浩　18-153
中山明　51-40
中山重夫（狭山闘争委員長）　90-29,

95-127, 97-158
永山則夫(〝連続射殺魔〟) 99-110
中山弘正 94-149
流星一 64-80
那須宏 18-76
灘かずもと 66-90
(なな) 24-69
新潟高校裁判闘争を支える会 76-77
新島淳良 5-35, 5-44, 9-52, 11-71, 12-59, 21-25, 36-45
ニカラグアからの通信 82-94
西尾漠 96-128, 97-154, 98-120, 99-190, 100-181
西垣内堅佑(弁護士) 29-111
西川賢一 24-42
西田真因 83-147
西原和海 47-56, 59-125, 65-70
西村卓司(長崎造船社研) 16-5, 17-5
西山逸 30-42, 34-135, 36-136, 38-141, 41-131, 44-135, 58-205, 63-48
日大救援会三七九—一八三七 19-53
日田玄葉 79-74, 85-115
新田義弘 89-54
日本革命的共産主義者同盟(革命的マルクス主義派) 86-64
日本大学全学共闘会議反大学創造委員会 6-102
日本弁護士連合会 55-80
楡村達男 73-25
根岸敏文 68-49
(鼠) 42-164
根津羽二 32-122
野口武徳 56-25
野口光宣 53-99
野沢史朗 71-35
野田茂徳 33-105, 34-124, 40-106, 60-65, 78-138, 80-142, 81-55, 81-139, 82-126, 84-134
野村修(京大助教授) 4-102, 12-50, 95-16
野村浩一 39-103

【は】

バーチャル、イアン 6-5, 7-5
ハイデッガー 27-31
バガトゥーリア、Γ・A 54-61, 65-87
芳賀登 60-17
(爆) 40-〔172〕
橋川文三 30-5
羽柴浩次郎 44-66
橋本勝 99-101
バスティド、マリアンヌ(フランス国立科学研究所所員ストラスブルク大学近現代史) 39-161
長谷洋子 11-57
(八) 36-156
服部正志 45-99
花崎皋平 35-31, 98-20, 12-59
花園紀男 47-107
羽仁五郎 55-30
埴谷雄高 87-5
馬場宏二 38-60
浜勝彦 39-67

浜住憲次(日カバ労組)　63-67
濱田泰三　25-33
林丈人　96-115, 98-102
林光　1-72, 5-85
林道義　41-16
速見勇　88-30, 92-104
原口清　83-6
原進(移転阻止闘争支援グループ)　62-94
針生清人　52-48, 96-59
坂東国男　58-43, 58-44, 58-48, 58-118, 58-171
(B)　13-148
(P)　6-〔124〕, 23-132, 44-〔164〕
B(全電通活動家)　84-56
日置伊作　92-59
曳地稜子　76-70
樋口大介　52-152, 53-156, 54-146
土方鉄　59-34, 90-5
ビッグマン(ブラックパンサー)　15-29
姫岡秋介　60-44
兵頭正俊　55-143
平岡正明　40-133
平田武靖　33-193, 33-51, 33-117, 37-88
平松新一　24-5
広河隆一　34-113, 51-135, 62-47
広重徹　50-5
廣西元信　94-140
廣松渉　2-5, 9-5, 14-27, 19-12, 26-5, 29-122, 35-64, 45-5, 50-5, 51-95, 54-5, 60-116, 65-5, 69-5, 70-66, 71-117, 72-113, 73-133, 76-90, 77-5, 78-113, 80-86, 94-147, 99-5, 101-5
フーコー、ミシェル　94-43, 95-108
深川一平　87-85
深見史　97-40
福沢啓臣　81-41, 85-31, 85-48, 87-18, 98-86
福田定良　96-33
福田宏　58-132
福田善之　1-80, 8-45
福富節男(農工大教授)　8-68, 9-61
福富弘美　45-82, 48-17, 75-77, 75-245
福本昇　21-127
福元満治(熊本水俣病を告発する会)　34-20
藤明　64-51
藤井治夫　88-20
藤田若雄(東大教授)　15-5, 16-5, 17-5
藤野渉　101-202
藤村俊郎　39-24
藤本治　81-96, 84-72, 87-31
藤本進治　1-6, 5-44, 14-5, 43-5, 44-5
藤本和貴夫　52-100, 57-74, 88-5
藤森一清　78-5
二葉憲香　62-5
船戸馨　2-66
船戸満之　9-106, 13-59, 16-139, 17-67, 18-113, 19-104, 27-124, 47-82
船山信一　101-232
フランケル、ボリス　33-134
古瀬駿介(弁護士　東京三会合同代用監獄調査委員会)　92-71
降旗節雄　38-5, 68-5

ブロッホ、エルンスト　16-139, 17-67, 18-113, 19-104, 30-118, 49-102, 52-152, 53-156, 54-146
フンボルト、カール　10-48
ペクー、ロベール　46-122
ヘロルド、レナーテ(ベルリン自由大学にて日本学専攻)　85-39
(片)　28-117
編集部　1-4, 2-35, 4-57, 4-74, 6-86, 10-109, 11-90, 24-27, 24-68, 32-5, 94-136
許元沢　59-53
法大生協臨労組　72-54
「法大レーニン研」被告　61-83
法務総合研究所　75-1
ボードロ、クリスチャン　98-5
穂坂久仁雄(ルポ・ライター)　35-97, 43-103, 46-109, 58-195, 58-205
細井光子(アジアの反乱研究会)　35-109
細川亮一　89-108
細田克彦　25-42, 32-103
細谷未知男　88-168
堀光夫　61-26
ホルクハイマー、マックス　12-5, 18-53
ボルケナウ、フランツ　14-56, 15-90

【ま】

前沢虎義　58-126, 58-161
前田耕作　95-108
前田裕晤(大阪中電・全電通大阪電信支部執行委員)　16-5, 17-5, 44-22
前野良　99-141
前原和夫(「69年ピース罐爆弾」フレームアップ事件「被告」)　92-71
真樹朗　15-65
真木悠介　60-116
松井幸　99-66
松井良和　89-288
松浦民恵　97-147
松岡信夫　91-35
真継伸彦　90-150
松崎国雄　91-105
松沢哲成　63-107, 75-19
松下昇(神戸大)　8-106, 12-99
松島朝義(沖縄中部地区反戦)　28-49, 29-119, 31-49, 41-90, 53-56
松田政男　73-86, 81-5, 87-136, 88-181
松永伍一　7-62
松永優　77-113
松永優を守る会　75-172
松村健(東京教育大全学闘)　9-76
松本一美(日本赤色救援会)　45-55
松本健一　94-33
松本礼二(共産主義者同盟)　1-59, 14-95, 16-5, 17-5, 63-81
マリゲーヤ、カルロス　23-69
マルクーゼ、ヘルベルト　42 135, 46-122
マルムダール、チャル　32-122
丸山照雄(日蓮宗僧侶／破防法裁判闘争を支える会世話人)　34-58, 42-27, 42-85, 45-58, 52-62, 57-50,

58-205, 59-53, 60-62, 64-17, 72-84, 80-5, 83-131, 86-37, 88-167, 90-150, 96-42
三浦つとむ 5-54, 84-30
三島憲一 89-181
三島康男 37-44
水田洋(名大) 12-59
三田村泰助 56-80
水戸巌(救援連絡センター) 92-71, 55-30, 55-88, 91-14
水戸理 24-84
水戸豊夫 29-63
南浦泰 93-51
三原令 66-48
宮岡政雄 3-87
宮嶋信夫 99-141
宮田登 62-29, 71-82
宮原安春 18-106, 19-90, 24-28, 28-96, 42-146, 43-145, 44-147, 45-147, 46-146, 47-147, 48-149, 49-148
宮本隆 56-124, 57-122, 62-122, 80-14
宮本弘 32-103, 46-20
美輪明宏 83-140
向井承雄 76-43
向山景一 18-5, 23-5, 32-87
(蟲) 34-155
村井紀 53-5, 59-110
村尾行一(東大林学科助手) 8-29
村上陽一郎 50-5, 61-5, 84-5, 85-97, 96-67
村木昇 35-91, 79-17, 94-155
村田拓 90-75
村田一 94-94
(眼) 7-110, 11-164, 28-116
明大全学評 22-109
メネンデス、マリオ 22-63
メルロ=ポンティ、モーリス 41-79, 44-124
望月哲也 96-19
本山晃 16-106
森川正 20-78, 21-41, 24-116
森敏(東大農学部助手) 36-94, 44-104
森茂(革共同革マル派) 1-59
森田侑男 101-128
森恒夫 58-61, 58-62, 58-72, 58-91, 58-97, 58-104, 58-111
森原政治(東京都社会主義学生戦線(=フロント)中央書記局) 8-131
森秀人 56-47
守山晃 39-173, 41-86
森和栞 28-136
師岡佑行(立命館大学講師) 8-98, 12-36, 34-49

【や】

八木健彦 40-24
八木竜実 71-114
矢崎久(月刊『共同』編集委員会) 54-117, 91-92
矢代梓 14-56, 15-90, 19-55, 27-31, 27-41, 37-89, 49-60
八代謙 13-120, 15-104, 22-76, 23-101
弥永清美 5-80, 9-87

柳川秀夫　40-110, 65-137
矢吹晋　100-131
山泉進　70-64
山岡健一郎　17-93
山口武秀(住民闘争研究会)　31-30, 34-5, 45-41, 51-5, 55-94, 60-57, 62-77, 69-71, 83-71, 91-105
山口昌男　56-47
山口百恵男　75-138
山口裕一　5-63
山崎カヲル　41-79, 44-124, 98-5, 26-59, 33-70, 33-152, 33-162, 33-166, 37-16, 57-76, 77-59, 81-5, 81-84, 85-22, 88-92, 94-20, 100-41
山崎正一　96-5
山崎博　70-119
山崎昌夫　42-17, 50-100, 54-80, 66-121
山田信二　41-99
山田真　72-25, 73-15
山田泰利　53-84
山中明　1-59
山中恒　97-95
山中弘(全逓東京貯金支部)　11-90
山之内靖　84-89
山波三郎　51-27
山本智　91-45
山本次郎　87-77
山本哲士　98-63
山本啓　77-38, 80-86, 90-133, 94-51, 94-81, 94-111, 96-130, 100-52, 101-263
山本義隆(東大全共闘)　4-67, 6-86, 8-5, 46-5, 53-111, 54-130
山盛光輝　46-105
湯浅赳男　20-64, 41-59, 70-5, 82-14, 95-5, 96-132
(遊)　34-71
結城博音　70-43, 71-87
結城満　79-110, 80-136, 82-117, 87-128
柚岡正禎　78-92
雪野健作　60-77
雪山慶正　2-88, 10-34, 13-49
由良博　68-49
由利静夫　90-101
ユンガー、エルンスト　27-70
吉川勇一　99-55
吉清一江　55-17
吉田富夫　72-98
よしだともや　68-37, 71-80
吉野雅邦　58-121, 58-174
吉村聖　26-32, 29-51, 41-72, 42-58
吉本隆明　7-31
米沢穂積　101-164

【ら】

ライヒ、ウィルヘルム　33-152, 33-162, 33-166
ライヘ、ライムート　26-59
ラウシュニンク、ヘルマン　27-17
ステットラー、ラッセル　53-127
リブ新宿センター　92-149
劉君の闘いを支持する闘争委員会

31-92
劉彩品 25-87, 34-73
劉彩品を守る友人の会 25-87
林景明 66-56
類家治一郎 72-102
ルフェーブル、アンリ 38-113, 56-145, 57-140
レーニン 11-57
ロヴァッティ、ピエル・アルド 89-170
労働運動研究会(少数派) 63-87
蠟山芳郎 46-20
ローラー、ゴーデイアント 9-87
ロゾフスキー 17-105, 18-122, 19-81
ロッテンマイヤー、ヘルガ(美術史専攻) 95-37
ロワゾー、ピエール 6-82

【わ】

若代直哉 39-47
若林一平 50-44
渡辺二郎 89-67, 101-316
渡辺隆之(日大理工四年) 8-61
渡辺正則(一二・一八「交番襲撃」闘争被告) 43-88, 58-147
和田春樹(ハイエナ企業市民審査会) 66-37, 69-41, 84-89

解説執筆者紹介

高橋 順一（たかはし・じゅんいち）

一九五〇年生まれ。一九六八年当時、高校三年生（私立武蔵高校）で運動に参加した。立教大学卒。早稲田大学名誉教授。著書に『市民社会の弁証法』（弘文堂）『ヴァルター・ベンヤミン 近代の星座』（講談社現代新書）『響きと思考のあいだ リヒャルト・ヴァーグナーと一九世紀近代』（青弓社）『ヴァルター・ベンヤミン解読』『吉本隆明と親鸞』『吉本隆明と共同幻想』（社会評論社）『ニーチェ事典』（編著書 弘文堂）など、訳書にベンヤミン『パサージュ論』（共訳 岩波文庫）アドルノ『ヴァーグナー試論』（作品社）がある。『情況』には第二期から参加し編集委員となる。一九九〇年代の数年はほぼ毎号論文と巻頭言を執筆した。

回想執筆者紹介

古賀 暹（こが・のぼる）

一九四〇年生まれ。一九五九年東京大学入学、東京大学新聞社の編集部員として六〇年安保闘争を経験。第一次ブントの崩壊後、社会主義学生同盟の再結成に尽力し、憲法公聴会阻止闘争、大学管理法反対闘争に参加。一九六八年六月情況社を設立、『情況』編集長。一九七六年同誌休刊後、ドイツ留学。ミュンヘン、ボン、フランクフルトにて政治学を学ぶ。一九八六年帰国。河合塾名古屋校講師、一九九〇年情況出版社を再建、同編集長、二〇〇〇年退社。著書に『北一輝 革命思想として読む』（御茶の水書房）、共訳書にアレックス・デミロヴィッチ『民主主義と支配』（御茶の水書房）などがある。

菅原 秀宣（すがわら・ひでのぶ）

一九六七年北海道名寄市生まれ。一九八三年仙台第一高等学校入学。一九八八年東京大学入学。『情況』第三期から編集制作に携わる。『情況』第四期経営・編集主幹大下敦史氏逝去の後、『情況』第五期の経営・編集主幹。現在、株式会社セロメガ代表取締役。武久出版株式会社代表取締役、『図書新聞』経営主幹。

情《じょう》況《きょう》 解説・回想・総目次・索引

２０２２年２月18日 第一刷発行
定価３,３００円（本体３,０００円＋税10％）
ISBN 978-4-8350-8493-0

解　説　高橋順一
回　想　古賀暹・菅原秀宣
発行者　小林淳子
発行所　不二出版
東京都文京区水道２-10-10
電　話　０３（５９８１）６７０４
ＦＡＸ　０３（５９８１）６７０５
振　替　００１６０-２-９４０８４
組版・印刷・製本／昴印刷